U0086497

繪畫探索入門

人體素描

An Introduction to DRAWING THE NUDE

繪畫探索入門

人體素描

解剖・比例・平衡・動態・光線・構圖

DIANA CONSTANCE 著

周彥璋 校審

唐郁婷・羅之維 譯

視傳文化事業有限公司

出版序

藝術提供空間，一種給心靈喘息的空間，一個讓想像力闖蕩的探索空間。

走進繪畫世界，你可以不帶任何東西，只帶一份閒情逸致，徜徉在午夢的逍遙中；也可以帶一枝筆、一些顏料、幾張紙，以及最重要的快樂心情，偶爾信足恣情揮灑，享受創作的喜悅。如果你也攜帶這套《繪畫探索入門系列》隨行，那更好！它會適時指引你，教你游目且騁懷，使你下筆如有神。

《繪畫探索入門系列》不以繪畫媒材分類，而是用題材來分冊，包括人像、人體、靜物、動物、風景、花卉等數類主題，除了介紹該類主題的歷史背景外，更詳細說明各種媒材與工具之使用方法；是一套圖文並茂、內容豐富的表現技法叢書，值得購買珍藏、隨時翻閱。

走過花園，有人看到花紅葉綠，有人看到殘根敗葉，也有人什麼都沒看到；希望你是第一種人，更希望你是手執畫筆，正在享受彩繪樂趣的人。與其為生活中的苦發愁，何不享受生活中的樂？好好享受畫畫吧！

視傳文化 總編輯 陳寬祐

國家圖書館出版預行編目資料

繪畫探索入門：人體素描／Diana Constance
著：唐郁婷、羅之維譯--初版--〔新北市〕中
和區：視傳文化,2012〔民101〕
面；公分
含索引
譯自：An introduction to drawing the nude:
anatomy,proportion,balance,movement,light,
composition
ISBN 978-986-7652-66-9(平裝)

1.人物畫─技法 2.素描

947.23   94017051

AN INTRODUCTION TO DRAWING THE NUDE
1993 (c) Quintet Publishing Ltd.
arranged with QUARTO PUBLISHING PLC (A
MEMBER OF THE QUARTO GROUP)
through Big Apple Tuttle-Mori Agency, Inc.
Traditional Chinese edition copyright:
2005 VISUAL COMMUNICATION CULTURE
ENTERPRISE CO., LTD
All rights reserved

繪畫探索入門：人體素描 An Introduction to **Drawing The Nude**

著作人：DIANA CONSTANCE
翻　譯：唐郁婷、羅之維
校　審：周彥璋
發行人：顏義勇
編輯顧問：林行健
資深顧問：陳寬祐
中文編輯：林雅倫
出版印行：視傳文化事業有限公司
行銷企劃：新一代圖書有限公司
　　　　　新北市中和區中正路906號3樓
電話：(02)22263121
傳真：(02)22263123
郵政劃撥：50078231新一代圖書有限公司

經銷商：北星文化事業有限公司
　　　　新北市永和區中正路456號B1
電話：(02)29229000
傳真：(02)29229041
印刷：五洲彩色製版印刷股份有限公司

每冊新台幣：360元

行政院新聞局局版臺業字第6068號
中文版權合法取得·未經同意不得翻印
◎本書如有裝訂錯誤破損缺頁請寄回退換◎

ISBN　978-986-7652-66-9
2012年9月 初版一刷

目　錄

前　言

一直以來，裸體即是藝術中多變的圖像主題之一。不過這種以人類體態為主題的繪畫鮮少能以客觀的方式呈現，原因就在於主題式繪畫總是反映著當代的文化與藝術態度。而在非象徵性(Non-Figurative)藝術主題流行多年之後，人體畫像目前又開始成為一新興的藝術主題了。因此現在自然有必要重新詮釋解剖學與繪圖技巧，好讓人體繪圖技巧與現代藝術結合，而我們自身的影像也將留名青史。

若要述說裸體繪畫，勢必要先從古希臘人談起，普世皆知他們將裸體人像視為人類美麗與勇氣的總合，如《梵蒂岡望樓中的阿波羅》(Belvedere Apollo)便是一例。但隨著希臘異教世界的消逝，人們對裸體人像的看法慢慢地由基督教義中對於人的概念所取代。基督教義明言人類是亞當的後裔，也是原罪的產物，所以這樣的想法立即反映在當時藝術家對人體的呈現，不難發現，畫中人物均顯示出一種濃厚的罪惡感與深層的自我意識。

而人們之所以能從此種自我貶抑的深淵中得到拯救，全仰賴於重新發現到了希臘羅馬帝國(Graeco-Roman)的文學與藝術價值，也就是歷史上著名的文藝復興時期。讓裸體人像一度成為藝術的試金石，像是波提且利(Botticelli)的《維納斯》(Venus by Botticelli)，就是把人體的美麗發揚光大之作。

遺憾的是，這樣的自由主義所得到的回應竟是遭周遭的宗教激進份子因恐懼所進行的破壞。1497年，包括波提且利(Botticelli, 1445-1510)在內的畫家，全受迫將他們的作品悉數丟入火堆當中，在弗羅倫斯附之一炬。而且墳燒畫作所堆砌的柴堆最頂端的，都是以美人為主題的油畫布素描。

所幸這樣的壓制並沒有持續太久。彷彿冥冥之中注定似地，使素有文化素養的威尼斯人成為年輕提香(Titian)的金主，譬如就熱心地將提香栩栩如生的裸體畫像複製在阿爾卑斯北部的法庭裡。而另外一位——魯本斯(Rubens, 1557-1640)，這位半異教徒的追隨者則在北阿爾卑斯將他們的質樸力量徹底展現。但時至今日，我們反而只能於其中鑑定出較多林布蘭(Rembrandt)以一般女人為主題所繪的油畫。

反觀法國，裸體畫被視為輕浮的上流社會玩物，竟長達一個半世紀之久。直到由大衛(David 1748-1825)所創作的《瑪德蓮娜》(la madelaine)，此幅具有共和精神的影像問世，才讓人們對裸體畫徹底改觀，並以革命性的新貌逐漸蔓延開來。但後來隨著代表希望與理想的共和帝國走向衰亡，又使德拉克洛瓦與時代畫作中的的女性裸體畫像在羅曼思潮下成為無可救藥的犧牲者。還有一點我們必須知道，在德拉克洛瓦(1798-1863)名為《十字軍進駐君士坦丁堡》(The Crusaders Entering Constantinople by Delacroix)的畫作中某個不起眼角色，卻讓竇加(Degas, 1834-1917)產生靈感，以逗趣的獨特風格創作出一系列出浴女子圖像。

再者，馬內(Manet)於《草地上的午餐》(Dejeuner sur l'herbe by Manet)這幅畫作中卻以醜化的方式描繪裸體，藉以象徵社會腐敗，只是罪惡並不來自畫中的裸女，而是畫作內容：一名裸女與一群穿戴整齊、道貌岸然的畫家一同野餐。

十九世紀的最後十年裡，我們也看到了許多絕佳的藝術作品，其背後靈感都與裸體有關，包括竇加、高更(Gauguin)、羅特列克(Toulouse-Lautrec)與羅丹(Rodin)等人的創作。而進展到二十世紀尾聲的今日，對於人像畫的興趣又似乎重新被發掘，研究裸體的需求也自然增加不少。

這本書純粹是為了藝術系學生與業餘創作者所寫的。內容涵蓋大至由研究解剖學所發展出的人體繪圖技巧、比例的調整、畫面的平衡，與如何描繪人體動態曲線。而後講述如何表現空間與光線，兩者均為藝術家在平面空間中表現寫真立體圖像的工具。但在最後我們還探討了如何快速且切實地畫出屬於藝術家們第一印象的人型。

左圖：這是米開朗基羅(Michelangelo, 1475-1564)用來研究如何繪製亞當軀幹的習作。當時他正著手繪製西斯丁教堂(Sistine Chapel)。

上圖：這幅竇加的《女子出浴圖》(*Women in a Tub* by Edgar Degas, 1834-1917)是一件繪製於淺黃色(Buffcolored)紙張上的軟粉彩畫作品。

左圖：德拉克洛瓦的《薩達那培拉斯之死》(*The Death of Sardanapalus* by Eugene Delacroix, 1789-1863)中，是一幅將女奴圖像繪製於淺黃色紙張上的粉彩畫畫作。

遺憾的是，生活中的人物繪畫主題總是靈光乍現般一閃而逝。我建議若非得在第一印象與正確度兩者間選擇，最好隨著心中的感覺走，畢竟畫家所要傳達的訊息是繪畫線條與色彩後所隱含的精神。

我非常感謝為本書提供畫作的許多學生、研究生與當代畫家，在此並致上誠摯的敬意。

而這些新生代的畫家勢必再次讓人體成為新興藝術靈感來源的保證。誠如福蘭西斯・培根(Francis Bacon)所言：「最偉大的藝術總是回歸到人類處境的脆弱性中。」(The greatest art always returns to the vulnerability of the human situation.)

1

材料與畫具

完全了解各種畫材的優缺點，是學習人體素描最重要的第一步。例如炭筆、炭精粉彩條或粉彩筆這類乾燥的棒狀彩筆，就並非適用於所有的紙張。這些筆應該用在表面有紋路或質地較粗糙的紙張，因為它們在光滑的紙面上容易滑動，塗抹十分困難。另外，紙張的品質自然會影響價格高低。有由木漿製成且含有酸的紙張，以及手工精製的無酸純棉水彩紙等等。而選擇紙張則視作畫的形態而決定，若只用來練習，最好使用便宜紙張以承擔畫錯的風險，這樣一來，也能更自由自在地做任何嘗試。但若用在正式作品上，則以半年內不會發黃或薄化的紙張較為合適。

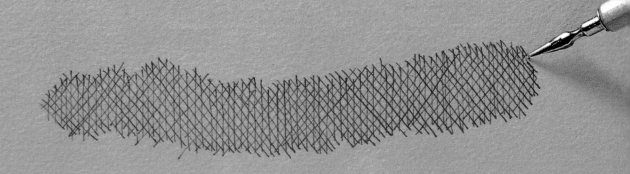

繪圖工具

鉛筆

一般而言，鉛筆分級是以H代表硬筆芯，而以B代表軟筆芯。也就是說，一支2H的鉛筆可以繪出一道犀利但色調較淡的線條，而8B的鉛筆則可以畫出一條較粗且顏色較深的線條。所以在選擇繪圖工具時，盡可能將畫筆所繪出的線條粗細與色調，與紙張的大小相互配合。就好比鉛筆適合用於素描簿與中型的彈藥紙便條本，因為鉛筆畫出的線條對於尺寸較大的畫紙來說，似乎顯得太細也太淡了，無法在紙上繪製出鮮明的影像。不過這些規則當然都有例外：像是僅用軟鉛筆即可繪出交叉影線以製造陰影，或是在繪圖時於筆尖施以重壓，也能創造出一個大範圍的暗色區域。

石墨條

製造這些小炭條和鉛筆筆心的材料均為石墨。之所以將其製成條狀，完全是為了方便使用側面來塑造大範圍的灰色鉛筆色調，但若單使用筆尖，它又像一支軟而粗的鉛筆。還有，也可以用雕刻刀將炭筆筆尖削成楔形，這樣的形狀讓繪製連續線條時僅須稍稍轉動筆頭，便能製造出由細至粗的筆觸效果。

另外，以石墨條(Graphite Sticks)繪成的圖畫並不需要噴固定劑，而且任何小缺失都能用普通橡皮擦、軟橡皮擦或新鮮的麵包擦去。

彩色鉛筆

彩色鉛筆本身就有多樣不同種類可供選擇。它所製造出的色彩亮度和鉛筆本身的柔軟度各不相同，所以購買前最好先試用一下，免得不合適繪畫的主題，當然也因它多半都十分昂貴。還有，請務必小心保護彩色鉛筆，千萬別摔落，因為即使筆管包覆著筆心，卻仍非常容易斷裂。

彩色鉛筆較適合小幅的圖畫，

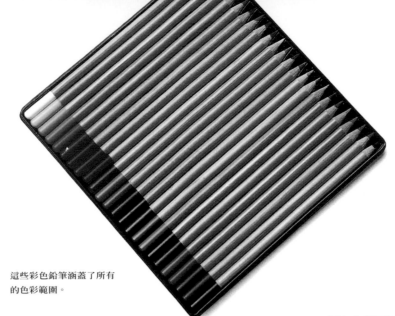

這些彩色鉛筆涵蓋了所有的色彩範圍。

若想要擦去色鉛筆的痕跡也是用橡皮擦或軟橡皮即可。

炭筆

奉勸各位要避免使用任何種類的炭筆(Charcoal)在光滑紙面上作圖，例如新聞紙(Newsprint)，因為木炭條會因在紙面上過度快速地滑動而產生僵硬且不生動的線條。因此，我通常會建議找的學生將便宜的壁背紙(Wallpaper Lining)剪成他們所需的大小，好用來快速繪製臨時草圖。或者，若要繪製品質較佳的圖畫，則可以用彈藥紙便條本或博士紙(Bockingford Paper)。

各類炭筆中，如細長條狀的柳木炭筆(Willow Charcoal)，就是十分理想的素寫工具。而壓製炭筆

(Compressed Charcoal)則有各種不同的等級，它較柳木炭筆筆觸較重，線條的色澤也較暗，因此能製造出厚重的黑色調。假設使用炭精筆所繪製的好作品，必定看起來就和石版印刷無異。

所有用炭筆繪製的圖畫都能以軟橡皮擦或是新鮮麵包擦去。我總是用麵包先拭去炭精筆的痕跡，避免把厚重的碳粉揉進畫紙內。使用麵包來擦拭不但能將碳粉痕跡去除，且因麵包觸感輕軟、不會刮傷紙面。最後完成的畫作應噴上固定劑，但為了避免圖畫有弄壞的可能性，必須先將畫作覆以薄的描圖紙。原因是和易皺的衛生紙相較，描圖紙能理想地維持畫作表面的平整度。

左至右：柳木炭筆(Willow Charcoal)、鉛筆、中國毛筆(Chinese Brush)、小型黑貂平頭水彩筆(Small Flat Sable Brush)、竹筆、毛筆、大型黑貂平頭水彩筆、各色粉蠟筆。

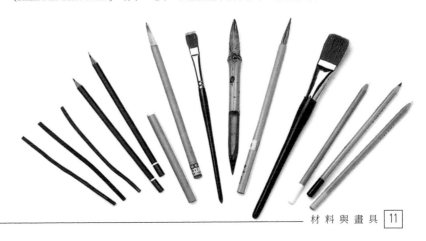

炭精筆

　　炭精筆(Conté)是種由色素所製成且包覆著阿拉伯膠的硬條。它可以在畫畫時用砂紙片磨尖，再以筆尖或筆側作畫，或者索性折斷筆身來製造尖銳的斷面。在文藝復興時代，畫家們所偏愛的色彩爲茶紅，赭土與黑。再者，白色的炭精粉彩條或其他較軟的粉彩筆則可以作爲描邊之用。而這種畫筆的最佳用紙則非輕磅的安格紙或麻紙莫屬了，不過還可使用博士紙或速寫紙。

粉彩筆

　　粉彩筆(Pastel)分爲三種。第一種是軟粉彩筆(Soft Pastel)。本書收錄的粉彩圖畫以使用軟粉彩筆爲最多，它是圓棒狀的，顧名思義，質地十分柔軟，非常容易與其他顏色混和，塗抹起來自然也相當輕鬆。

　　而硬粉彩筆的外觀則是方柱狀的細棒，且較軟粉彩硬得多，雖然它也能和其他顏色混和，但堅硬的質地使塗抹的困難度升高。它常用於小幅畫作中的製造尖細線條。油性粉彩筆(Oil Pastel)是以油與蠟混

上圖：盒內各色盡有的法國粉彩筆，便於旅行時攜帶。

下圖：調和粉彩筆(Unison Pastel)由北英格蘭推廣的粗型棒狀粉彩筆，用以捕捉當地景觀中微妙的色彩與光影。

下圖：此處列出的平頭筆，可謂各種色彩應有盡有。附帶一提，有些品牌的平頭筆還附有可繪出有如中國毛筆般筆觸線條的筆頭。

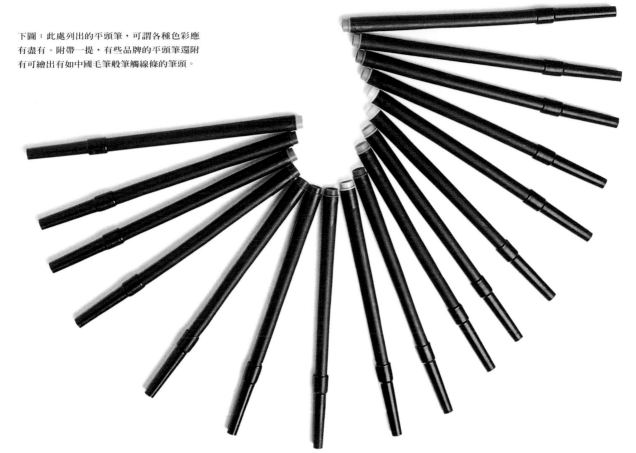

合所製成，和其他以水與阿拉膠為製造原料的粉彩筆完全不同。

平頭筆

　　平頭筆(Felt-tip pens)的問世無疑是替筆與墨水所能達成的繪圖效果寫下全新的一頁，它提供了富含變化性與流暢度的絕佳線條。但得小心它唯一的缺點：脆弱的墨水性質導致圖畫色澤會在一年內褪去。雖然擁有持久色彩的平頭筆可以取得，顏色卻有一定的限制。目前新一代的平頭筆正在研發當中，我們對其也寄予厚望，期盼具有廣大色彩範圍的持久色彩平頭筆可成為我們的繪畫良伴。再者，某些平頭筆的筆頭彈性極佳，能呈現出有如毛筆繪製的線條，十分吸引人。

　　而平頭筆最使人困擾的自然是它擦不掉的顏色了。

竹筆與蘆荻

　　竹筆 (Bamboo Pens)與蘆荻(Reeds)這類畫筆已被畫家使用了數個世紀。它能創造出不同線條，且最適合與印度墨汁與水彩紙合用。不過若要用得順手，卻得花些時間，在使用前需要刮一刮筆端，以去除前次使用留下的的乾墨汁。

筆刷

　　最好的毛筆幾乎都是用貂毛做的，但遺憾的是價格十分昂貴。不過一分錢一分貨，質地良好，因此使用多年也不見壞，如果照顧得當，更能長期維持它的原有彈性。例如每次使用完畢後使用微溫的清水洗淨，若是沾印度墨汁作畫，則應以溫和的洗手乳來徹底清洗筆刷。再將多餘的水分甩掉，使其自然乾燥，風乾後將筆插入玻璃罐中，筆尖朝上，讓貂毛得以保持平

順的狀態。

　　還有，絕對不要將貂毛筆與壓克力顏料合用。在選購貂毛筆時，不妨沾上少許清水，並在紙上畫下幾筆以檢查其筆觸與彈性。不過，大致上筆商都會在筆刷旁備有一罐清水以因應顧客們這樣的需求。

　　另外松鼠毛筆的價位則較便宜，大多用於處理非細緻的描繪，不過也全因品質較差而且筆觸較像抹布而非筆刷所致。而其他幾種尼龍材質的筆刷多使用於以壓克力顏料繪製的圖圖。中國毛筆則常被用於作出畫作最後所需的塗刷或暈染效果，美術用品店均可找到。

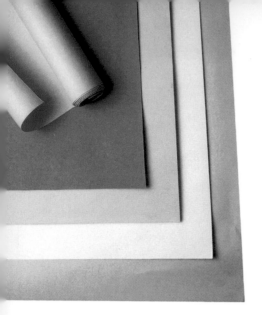

上圖：由上至下分別為一捲壁背紙、牛皮紙、淡色粉彩紙、水彩紙與糖果紙。

紙張

新聞紙

雖然新聞紙常被畫家們使用，但我認為它對大部分的藝術作品而言，是種很糟的繪畫材料。因為新聞紙紙面對於炭筆與炭精粉彩條來說太過光滑，當然，如果幸運的話，的確是能找到有粗糙面的新聞紙來進行速寫。不過，因為新聞紙是木漿製成，且紙張含酸，所以保存期限很短，數年內便會泛黃且容易撕碎。

壁背紙

壁背紙是一種物美價廉的紙材，在住家附近的家飾店或自助建材行中便能購得。一般都是先將紙

下圖：不同的顏料或畫筆所營造出的線條效果會隨紙張性質的改變而有所差異。須特別注意的是白色水彩紙上顯現的質感。

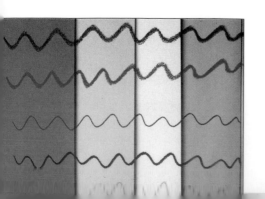

張剪裁至所需大小後，再以重物(像是落書)壓平來使用。壁背紙紙面非常適合炭筆或孔太蠟筆，但無奈其與新聞紙相同，無法長期保存，紙張中的酸性也會讓它在一兩年內就泛黃了。

黃壁背紙

黃壁背紙的粗糙面能提供畫家製造有趣的紙面與色調對比。它價格並不貴，且每張的面積都挺大。但也是種不易保存的紙張，數年內紙張纖維便條條分明，就會碎開。

糖果紙

糖果紙(Sugar Paper)的觸感粗糙，色澤不飽滿。它和新聞紙相同，不能長久保存且表面色彩容易因摩擦而遭破壞。

彈藥紙

彈藥紙(Cartridge Paper)是標準的繪畫用紙，不僅容易購得且紙張壽命較長。

博士紙

博士紙(Bockingford Paper)的磅數較彈藥紙重。但觸感輕盈，很適合使用炭筆、炭精粉彩條與粉彩筆在其上揮灑，既能快速吸收暈染的水分，且與彈藥紙相同，紙張壽命較長。

安格紙

安格紙(Ingres Paper)屬於輕磅，是種紙面具有規則細紋的高品質紙張。雖然它很適合使用炭筆、炭精粉彩條與粉彩筆，但磅數太輕，無法承受暈染。不過安格紙倒是能永久保存的紙張之一。

粉彩紙

粉彩紙(Pastel Paper)雖然有多種色調與色澤可供選擇，可是我個人會避免使用太強烈的顏色，也許是主觀偏見，較喜歡柔嫩的顏色。在強調線條方面，這種紙張會利用炭精粉彩條蠟筆與粉筆來展現，但

並不適合暈染。再者，它的保存時間也較長。

水彩紙

以水彩紙(Watercolour Paper)的磅數來說，雖然市面上150gsm(70磅)到850gsm(400磅)都有，但一般畫作僅須150至185gsm(70到90磅)應該就足夠了。水彩紙面也有各種不同觸感，可以符合各種畫材的需求，包括畫筆，油墨或暈染皆行。不過最好的水彩紙應該是純棉且不含任何酸性物質。譬如水彩畫就需使用純棉的紙張，因為這樣便能維持色彩的亮度與原始色澤，但紙張是否為棉質對於炭筆與粉彩筆說，就沒那麼重要了。不過，以想要用粉彩筆塗刷多層色彩在水彩紙上的人看來，黏性與觸感卻格外重要。無論如何，為了使畫作長久保存而不泛黃，選擇無酸的紙張是必須的。

使用水彩紙的前製作業是先將紙暈染過一遍，讓它呈現出預設的色彩與色澤，並且將它向外拉平，以避免水彩畫上去後紙張會顯得凹凸不平。另外，水彩、油性水彩或壓克力顏料均可用於這事前的準備工作上。

保存畫作

在理想的情況下，藝術家應將所有以炭筆、炭精粉彩條與粉彩筆為繪畫素材的畫作用固定劑噴灑。而髮膠通常是除了固定劑之外，較普遍的選擇，也許是價錢便宜吧！但可惜的是它的固定效果不佳，且由於化學成分的影響，有可能反而會加速日後的褪色。不如選擇採用具小型噴頭噴灑液體的固定劑較佳，而且液體固定劑與噴頭皆能從美術器材店裡購買，取得十分方便。還有，炭筆、炭精粉彩條與粉彩筆的畫作在運送過程或保存時，也應該於表面塗上防油保護或覆蓋薄紙張。

2

人體解剖

所有的生物圖像畫都以研究骨骼爲繪製的開端，因骨骼有如重要的樞紐，是身體活動的關鍵所在。人體中兩百多塊的骨骼名稱，雖然沒必要全都知道，但了解各骨頭間的關聯卻十分重要，還得熟悉關節的大小與作用方式，這樣在繪製人體素描時，畫布上的人形才不會產生可笑滑稽的狀況。

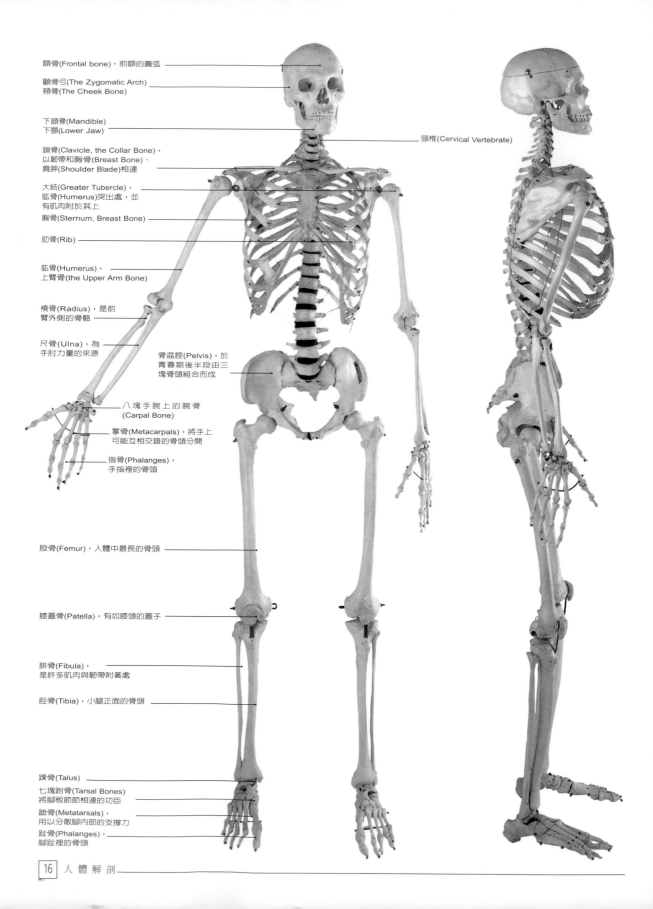

額骨(Frontal bone)，前額的圓弧

顴骨弓(The Zygomatic Arch)
頰骨(The Cheek Bone)

下顎骨(Mandible)
下顎(Lower Jaw)

頸椎(Cervical Vertebrate)

鎖骨(Clavicle, the Collar Bone)，
以韌帶和胸骨(Breast Bone)、
肩胛(Shoulder Blade)相連

大結(Greater Tubercle)，
肱骨(Humerus)突出處，並
有肌肉附於其上

胸骨(Sternum, Breast Bone)

肋骨(Rib)

肱骨(Humerus)，
上臂骨(the Upper Arm Bone)

橈骨(Radius)，是前
臂外側的骨骼

尺骨(Ulna)，為
手肘力量的來源

骨盆腔(Pelvis)，於
青春期後半段由三
塊骨頭組合而成

八塊手腕上的腕骨
(Carpal Bone)

掌骨(Metacarpals)，將手上
可能互相交錯的骨頭分開

指骨(Phalanges)，
手指裡的骨頭

股骨(Femur)，人體中最長的骨頭

膝蓋骨(Patella)，有如膝頭的蓋子

腓骨(Fibula)，
是許多肌肉與韌帶附著處

脛骨(Tibia)，小腿正面的骨頭

踝骨(Talus)

七塊跗骨(Tarsal Bones)
將腳板節節相連的功臣

蹠骨(Metatarsals)，
用以分散腳內部的支撐力

趾骨(Phalanges)，
腳趾裡的骨頭

骨骼

第一次審視人體的脊椎時，我們可能不約而同地均會驚訝於它的彎曲度。由頭骨的基座，向下探至曾經出現尾巴的遺跡處，最後到尾骨，脊椎形成雙S的大幅度彎曲。在著手繪製人體圖時，記得要留意修長且彎曲有致的脊椎是如何旋轉與折曲。之所以請大家稍加留心，是因大部分的人雖能正確繪出背部骨架輪廓，但卻忘記觀察頸部脊椎是如何彎曲。頸部脊椎尤其重要，皆由於彎曲角度的不同，會使頭部向前突出或縮回所致。

雙臂則是連接並吊掛在鎖骨與肩胛上。這些骨頭是以肌腱、肌肉與身體的主要支架相連，而非以關節作為連接物。斜方肌是塊有著類似鑽石形狀的肌肉，像一把扇子般由脊椎至肩關節展開。它不單將肩胛包住，延伸至整個背部，肩膀也因此能做出大範圍的各式動作。

上臂只有一根骨頭來作支撐點，我們稱它為肱骨，骨頭架構因十分簡單，也就容易繪製得多。但反觀，下臂構造卻是人體中難以正確繪製的部位之一。下臂骨骼是由兩根骨頭——尺骨與橈骨所組成。當人翻轉手掌時，後者會越過前者使兩根骨頭形成交叉的情況。現在不妨試著將手掌朝上，並觀察下臂看看，記住手掌與手肘此刻的模樣。再將手掌轉向地面，如此便不難發現橈骨交叉在尺骨上了。這個動作能明顯地改變下臂的形狀。不過當我們在觀察手掌時，複雜的手掌肌肉與肌腱卻掩蓋了手指骨架(又稱指骨)是由掌骨(由手腕延伸到手指基座的骨頭)所延伸而出的這件事實。

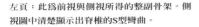

左頁：此為前視與側視所得的整副骨架。側視圖中清楚顯示出脊椎的S型彎曲。

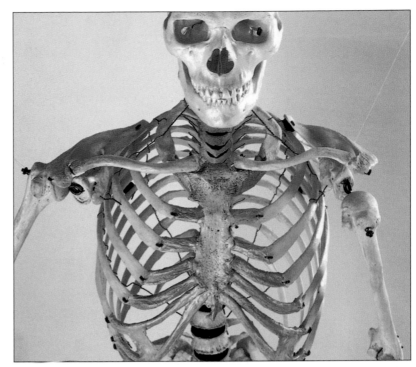

上圖：骨架模型顯現出用來包覆胸腔上部的肩胛骨。而位於頸部基座兩片鎖骨之間的頸椎則是身體的主要平衡點。

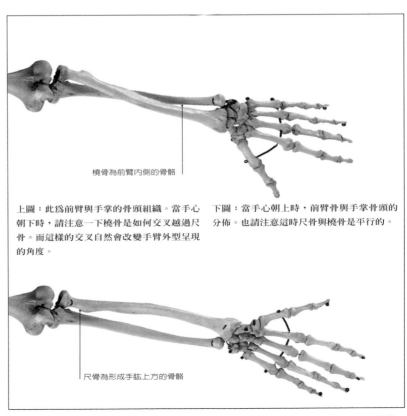

橈骨為前臂內側的骨骼

尺骨為形成手肱上方的骨骼

上圖：此為前臂與手掌的骨頭組織。當手心朝下時，請注意一下橈骨是如何交叉越過尺骨。而這樣的交叉自然會改變手臂外型呈現的角度。

下圖：當手心朝上時，前臂骨與手掌骨頭的分佈。也請注意這時尺骨與橈骨是平行的。

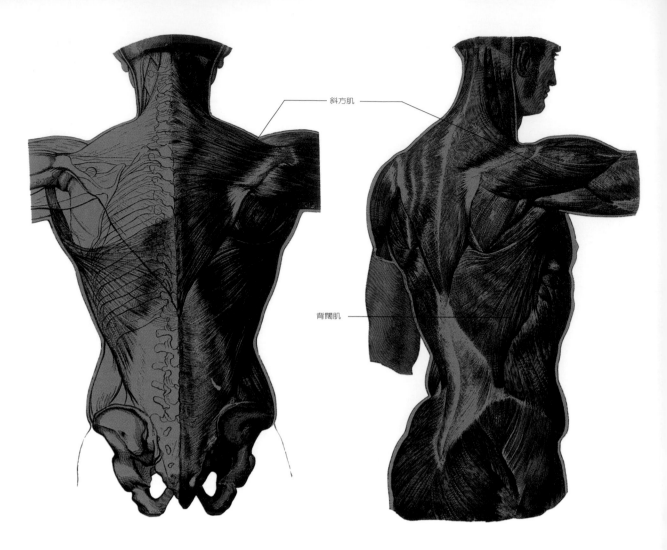

斜方肌

背闊肌

原因無他，這是由於指骨與掌骨形狀很像的緣故。描繪一隻手時，必須了解每個動作的執行是先由手腕開始而傳達到指尖的過程，而非僅僅將手掌視爲一團僵硬的肉塊，以及一個動作只靠手指來完成等等諸如此類的錯誤觀念。

胸腔的形狀像個倒置的籃子。肋骨由脊椎向外延伸並相互圍繞，用以保護此部位的重要器官，且較頭骨外圍更爲向外突出。至於骨盆腔則在脊椎的基座，形狀像個馬鞍。而肋骨與骨盆這兩個部位之間有個大約一個頭寬的間隙，僅有活動自如的脊椎連接。

當我們觀察前頁那些沒有被肌肉覆蓋的腹部骨骼時，對它所能執行的各種旋轉彎曲，除了嘖嘖稱奇外，應該也頗爲印象深刻。不過如果我們將這個部位的柔軟度視而不見，我們圖上的線條必定看起來會非常僵硬、不流暢。

股部更大的「轉軸」是髖骨，它的形成外徑較骨盆腔更爲巨大。髖關節(Hip Joint)的外觀彷彿是種杵與臼的組合，使得特定範圍的運動更輕鬆。

上左圖：斜方肌是鑽石型的平面肌肉，它用來連接肩膀與脊椎。

上右圖：背闊肌遍佈體側並連接胸腔下端的胸肌。在連接處又與肱二頭肌交會。另外，背闊肌也能協助我們做出上半身的搖擺動作。

右頁左圖：胸大肌，爲胸肌之一，附著於胸骨上。它自肋骨表面延伸，並在與肱骨交會時縮進內部，這樣的扭曲形成表面的多處皺折，也就是腋下的胳肢窩。腹直肌的形成則由鎖骨經過胸骨，再通過腹部肌肉，最後終點是生殖器處的皺折。下次觀察身體的動作與方向時，不妨試著找出這條皺折線。

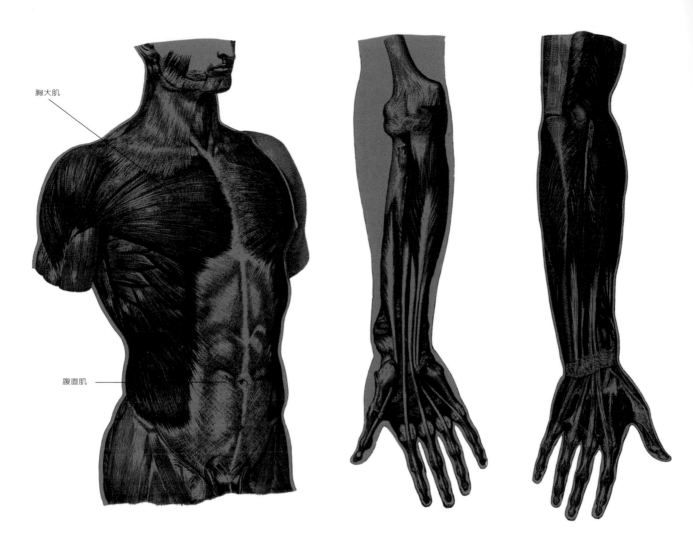

胸大肌

腹直肌

　　膝蓋並非瘦小、精緻的器官，它們的外形十分巨大，大概有半個頭蓋骨的寬度。而功能雖是作爲人體樞紐，但所能執行的動作範圍卻較髖關節小。

　　腳踝也是個人體樞紐，但通常被歸類爲另一種，因爲賦予它的活動範圍是僅能作橫向動作。再者，腳踝內側的突出部位，也就是脛骨的內側，較腳踝外側的突出的高度更高，而此部位的突出則爲腓骨，且脛骨與腓骨均跨越於腳踝上方。跟骨，即腳後跟的骨頭，延伸至較腳踝更後方的位置。尤其人的雙腳彎曲時，因爲外側較平，便能很清楚地於腳的內側與上方看到這個骨

頭。仔細繪製這些骨骼，對於表現腳部的眞實感是十分重要的。

肌肉與肌腱

　　人體共有400多塊肌肉，不過幸運的，畫家只需關心與主要運動有關的肌肉即可。肌腱(Tendons)是用以連接肌肉與骨骼的結締組織。而肌肉的收縮與放鬆，則會經由肌腱牽動骨頭。我們之所以有百餘種運動方式，且能挺身站直，皆是經由這個簡單動作拼湊出各種組合，或增加次數達成的。

上圖中：前臂的內側本來十分平坦，但轉動後形狀就改變了。當手腕轉動使前臂外側成爲內側時，橈骨兩端所形成的對角線屬交叉相疊。

上圖右：前臂與手的後視圖。兩隻手臂的外型差異很大。外側的肌肉與較高處連接，而內側的肌肉則否。肌肉最後以長形肌腱與腕骨相接。

上圖：肩頭上的三角肌是用來協助手臂放下與舉起的動作。上臂後方的三頭肌能協助下臂伸直或放下，而肩頭前方的二頭肌則負責前臂的舉起。

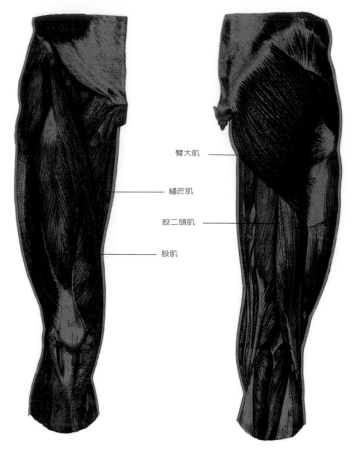

臂大肌

縫匠肌

股二頭肌

股肌

上圖：股肌的範圍乃由股骨的上端彎曲延伸至膝蓋。股肌之下連接的是一條帶狀的縫匠肌，它由髖部斜對角跨過大腿向下延伸至膝蓋的內部，形成了一段扭轉的優雅線條。

上圖：臂大肌是先由大腿後方繞過，再與另一側平坦的腸脛骨帶連接。

　　肌肉的形狀各有不同。身體中最常見的長條肌肉形狀稱作梭狀，即如同紡錘般的模樣。這樣的說法可在上臂的肱二頭肌與腓腸肌 (Gastrocnemius，或稱 Calf Muscle) 上找到印証。我們都知道，當拉動重物時若將拉繩縮短，會讓事情容易些，不須太過費力。同樣的原則也適用於人體，我們不難發現當數個短肌肉附著在同一肌腱主幹構造上時，能使產生的力量更為強大。這種構造稱為羽狀肌或雙羽狀肌，命名由來是因形狀像單邊或雙邊羽毛，所創造出的力量異常強勁，分佈於背部、胸部與上腹部。

　　不同的肌肉組成型態表現在體表時，便有圓弧或平坦表面的差別。也因此，最聰明的方法是複製肌肉模型圖，以增進對皮膚與脂防層下方那些複雜肌肉群的了解。

　　在執行任何動作時所使用的肌肉稱為隨意肌，因為可受意識控制而得名。另外，身體裡也有許多肌肉是不受意識支配的，它們被稱為不隨意肌。這些不隨意肌由腦幹自動控制，包括有協助呼吸的橫隔膜、以收縮來幫助血液循環的心肌，和消化道中推動食物的肌肉。

只不過不隨意肌只有在肌肉出現問題時，才會成為藝術家關切的題材：像是因為心衰竭所造成的泛藍嘴唇，當消化道不正常蠕動時造成的腹部扭曲。

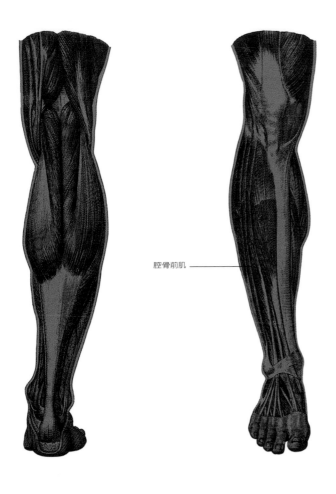

腔骨前肌

最左圖：大腿外側曲線的起始點比內側來得高。身體各處的器官多爲對稱，但四肢兩側則否。腓腸肌，或稱大腿肌，是附著於最強韌的肌腱上，而這最強韌的肌腱則稱爲阿基里斯腱，與腳跟相連接。

左圖：脛骨前肌所創造的優雅曲線，是決定小腿正面外觀的關鍵因素。它與脛骨交叉後，又接著一條長肌腱，最後附著在第一個蹠骨上。

　　男性與女性的肌肉組成大致相同，但女性的體態卻與男性有顯著差異。生殖的構造發育，以及體內爲因應懷孕與哺乳所儲存的額外脂肪，是使女性體型獨特之因。此外，男性體型中最寬的部分是肩膀，而女性的臀部則較肩膀寬，或是與肩同寬。

　　在研究過人體結構之後，尚要考慮體型在生命不同階段中所呈現的變化。如嬰兒時期的圓胖會被兒童時的細長體型取代，而年輕人的結實肌肉線條則會被隨著年齡增長而累積的脂肪層所掩蓋。再者，年齡的增長也會使脊椎因缺乏鈣而逐漸彎曲、肌肉逐漸鬆垮，體型自然隨之改變，像是肩頭變圓且胸口漸漸向內凹陷。

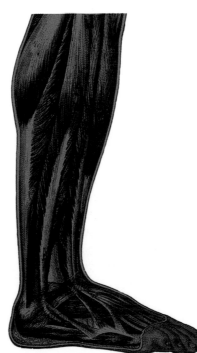

左圖：由此圖可知小腿兩側外觀的不同。它的內側曲線在彎度上非常明顯，但外側曲線則起伏不大，這是因爲外側是控制腳指運動的各肌腱跨過腳背陡降之處。

$$\boxed{3}$$

比例原則

人體比例似乎與性格一樣多變，這是畫家在繪製人體畫像時很快便能體會到的事實：面貌的不同僅只是一個開端，真正使每個個體獨具特色的是他們的體態。理想或標準體型是難得一見的，實際的人體比理想體型更加有趣多了。

　　藝術家通常都以人的頭部長度來測量人的體型。譬如說有些人是六頭身，有些是九頭身等等。而人們軀幹與腳的長度比例也各有不同。雖然對於初學者來說，知道一般人身體的比例是有用的，但這只是初學時暫時使用的繪畫原則。若已學會觀察分辨，且能畫出個體的差異後，便不再需要了。

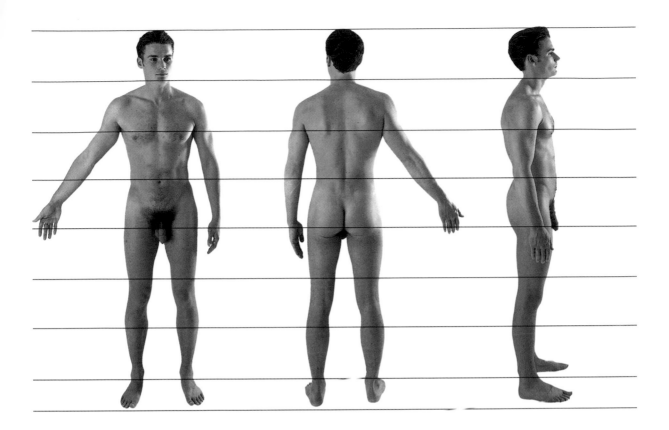

標準體型

　　一般人的體型是七個半頭身。至今男性與女性的體型已演化適應了各自的生理需求，只要仔細觀察骨盆腔的形狀，便能判斷出課堂上懸掛的人體骨骼屬於男性或女性。女性的骨盆腔上方較寬，整體來說也較深較大，是為求能足夠容納胎兒體積而設。而且女性腰部到股骨上端的距離較男性為長，這也是因應妊娠時子宮膨脹所致。另外，還得提醒那些總是千方百計嘗試減肥塑身的女性，並無任何一種節食方式能讓女性的臀圍和男性一樣窄。不過，男性的肩較女性寬且腿較長，這是男性為勝任遠古時代中人類族群所賦予其採集者與獵人角色而鍛鍊出來的。反觀女性較為柔和、圓潤的體型曲線，則是一種儲存多餘能量以增強保暖功能的表現，就彷彿是為母體與胎兒穿上一件以脂肪層為質料的薄衣。

　　當繪製一個標準體型的人像時，他的私處恰位於身體中點的下方，手的長度則落於大腿中點，而手肘與腰部在同一個高度上。還有，大部分的人都把腳畫得太小了，腳至少有一個頭的長度，且手的長度比腳稍短。

　　如果只想畫某個單一人體，要先量肩胛骨到私處的距離，比較這段長度與腿長之後，再比較肩寬與臀寬，如此一來就能得到模特兒體型特徵與比例的概念。

　　為使個體顯得與眾不同，就得找出許多特徵，但我會先以極端的角度來看這位模特兒，再由兩個極端概念中取得平衡，找到適合模特兒的體型比例。首先，一個消瘦的人在體型上看起來並不圓滑，與全身體型比較，他們的關節顯得較大：頭蓋骨則似乎快從頭中冒出；牙齒也是較突出的；手和腳不成比例；腳看來卷曲，不過這些都是因為大腿細瘦所造成的錯覺。另一個極端則是指肥胖的人，身體看來總會如氣球一般脹大，過大的小腹卡住手臂，使手臂不能伸直，因此手臂會離身體兩側有一段距離；手腕、手與腳部則會顯得不成比例地細小。

上圖：由前、後與側面觀看一位站立著的男性。他的身材為7½頭身，身體的中心為私處。背面觀看可以發現到他的肩較腰寬。站立時重量平均分配於雙腳，重心在雙腳之間。還得注意一點，由側面觀看出脖子並不在肩膀的正上方，而是從肩胛骨向前傾。

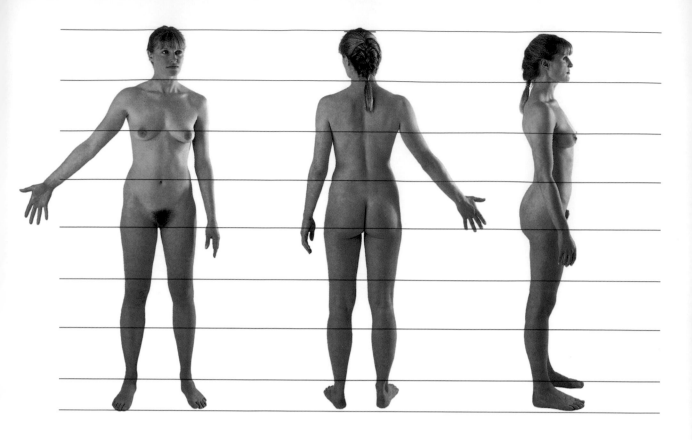

上圖：利用炭精粉彩條繪出的尖銳線條與角度來表現一位清瘦的女人。

右圖：這幅鉛筆畫是速寫一個肌肉鬆弛的肥胖人體，像是被畫框鬆垮地掛著一般。

最上：女性的身體比例圖。照片中的女性較七又四分之一頭身稍矮，她的軀幹較男性為長，而臀部較肩部寬。

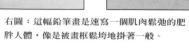

頭部的比例

眼窩下緣是臉部的終點。耳朵上緣則與眼球同高，然後一直向下到鼻子下緣的高度。人像畫家均會測量雙眼與鼻端所形成的三角形，以及雙眼與臉頰形成的三角形，因為這幾個三角形是成為個體臉部形狀與特徵的良好指標。再者，頭顱的深度與臉部長度相等，而頭顱後方的寬度則較臉部稍寬。

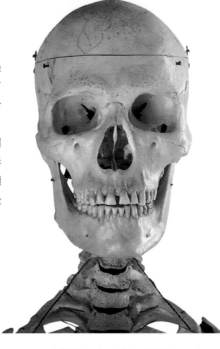

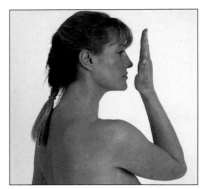

上圖：臉與手的長度差不多。顴骨的深度則與額頭的長度差不多。

左圖：這是個年輕人的頭顱。眼窩下緣在整個頭顱的中線，頭顱最寬處即為顴骨。

老化造成的比例變化

嬰兒的身體比例與成人的身體比例有著大大不同。嬰兒身體的中心是肚臍，整個身體的長度約為四頭身，其中頭部與腹部就佔了三又四分之一，腳的長度則僅四分之一而已。頭顱也比臉部大得多，幾乎不成比例，而他們的臉頰則較小，這可以幫助哺乳時的吸吮動作。

當孩童慢慢長大後，四肢開始變長，下顎逐漸飽滿並向前增長，從青春期開始，身體比例會漸漸接近成人。男性的肌肉變得發達，看起來越來越結實，越來越瘦長。同一時期的女性則因為脂肪層的增厚，體型日益圓潤，並產生女性特有的曲線，乳房也慢慢發育而增大。兩性在此時期均會長出體毛。男性約在剛過二十歲時，肩部骨頭抽長而達到成年男性的標準，這是最晚發育的骨骼。當年輕男性的體型趨於高瘦時，便是骨骼發育完全的寫照。

當我們隨著年齡漸長，體重增加，體型也日趨變大。而隨著老年期的來臨，會使椎間盤萎縮、頭部與腿骨因承受頭部與軀幹重量而彎曲，我們的身高也就因此縮短近半個頭，我們的肩膀漸漸向前彎曲，脊椎無法再能承受身體的重量，而我們出生時頭顱上的顱縫，最後也會完全地閉合。

上圖：鉛筆畫細膩地繪出老化的情形。下巴肌肉的鬆弛使臉頰原有稜角的線條趨於平緩。

測量原則

畢卡索(Picasso)曾在一次精采的即興作畫示範中繪製一幅裸體圖像,他先由腳指頭畫起,一氣呵成地將整個人像完成,充分展現出畢卡索的天份。光是想像由腳指頭開始畫人像的困難度,便會讓許多熟悉繪製人體圖像的藝術家們都倒抽一口氣,而且繪製人體圖像時不僅必須由眼睛仔細觀察,還要再輔以精確的量測。但遺憾的是,未經訓練的畫家通常眼睛幾乎都會被矇蔽,所以就更必須對模特兒作簡單的觀察但仔細的測量,好作為繪畫的輔助。

畫架的正確位置

首先,請如我所期望地站在畫架前,並將畫板與畫紙擺在與眼睛同高的位置。如果畫紙很大,務必得不斷地上下移動畫紙,使正在進行繪圖的部分與眼睛高度相同。當然,站在畫架正前方總是較理想

的,因為這樣一來,我們便可以向後退幾步來審視這整張圖畫的全貌。倘若不得已須使用凳子,則要注意圖畫下半部比例可能產生扭曲的情況。接下來,無論我們或坐或站,都得找到一個可同時看到模特

兒與畫紙的角度,避免畫板擋住的視線,以及造成任何其他會改變觀察模特兒角度的情形。換句話說,別把自己藏在畫板後頭。

傳統的測量法

傳統測量身體比例的方法是以垂直方向拿住鉛筆,將手臂向前伸直,再把鉛筆末端與模特兒的頭頂對齊,然後在筆桿上移動拇指來記錄頭部的長度。測量時別忘了用拇指在鉛筆上作出記號,這樣才能比較頭部與其他部位的長度,進而得到各部位之間精確的相對關係。

上圖:這是畫家使用傳統的測量法,即是以鉛筆量出頭部長度。

可動式網格

我還研發出另一套極受用的傳統測量法版本。先試著將鉛筆或尺垂直地拿著,並緩慢地在視線範圍內,而且也是模特兒的前方移動。這種方式除了可看出身體的平衡重心位於何處之外,尚能知道身體的各部位是如何相互連接與排列的。然後再以同樣方法再重複一遍,但這次讓尺呈水平方向,並將它在我們的視線範圍內,從模特兒的頭至腳移動。這種讓尺上下左右移動的方法就好像透過一個移動的網格來觀察模特兒一樣。

當初學畫時,在網格紙上畫圖也是種有用的方法,當我們畫一幅按比例縮小的人物畫時,這勢必也是個管用的測量法。

上圖:垂直放置量尺,可以讓畫家對模特兒的身體各部位與整體外型有所了解。

上左與左圖:將尺分別作垂直與水平擺放來測量模特兒,以顯示四肢的並列位置。

負空間

負空間(Negative Space)是指環繞在模特兒周遭的空間。而我認為最佳的測量法就是把負空間描繪或標示出來，尤其在需要使用前縮法的姿勢。這種觀察模特兒周圍環境可以進一步測量出身體各部位與背景物的相對形狀，或身體各部位相互的位置關係。比方說，若模特兒將手擺在臀部上，則腰臀之間的三角形狀便能使畫家對她上下手臂的長度概念更加清晰。這種方法自然比其他測量法更有效。

因為當我們只專注於注視人體本身時，我們的觀察力反而會容易被限制住，而這種測量法不啻讓我們對人體姿勢的觀察有了一種全新體驗。所以描繪負空間不單為檢視測量是否正確的方法，也是能有效訓練觀察力的練習。

上圖：此為以炭筆描繪的負空間。畫家緩慢地沿著模特兒身旁的空間描繪，並試圖只勾勒出負空間，而不畫其他部分。

右圖：完成圖，繪出椅子與地面的輪廓，避免模特兒的身體看似懸空。

描繪負空間

　　先觀察出人體局部的負空間，並使用軟鉛筆或柳木炭筆將它描繪出來，再試著將負空間的輪廓以不描邊的方式表現，且快速用力地在紙面上製造出陰影的部分。注意，一次只專注於身體的某一部分就好。另外，須花費長時間仔細觀察的是：因為一開始每個姿勢可能需要三十分鐘，不妨就先將模特兒所坐的椅子或沙發畫出來，而模特兒的身型則用反白來展現。然後便能審視紙上有無將模特兒的姿勢製造出預期的效果。不過若是正在規劃構圖的階段，則可以換個角度來觀察模特兒，或許也能找到更有趣的體態成為素描主題。

右上：這幅是畫家以炭筆在有色粉彩紙上繪畫的作品。由於對負空間的仔細觀察與描繪，使得反白部分一目了然。

右：畫家使用負空間並加入一些建築元素來繪製這幅炭筆畫，形成有趣的構圖設計。此外，畫面上的灰色調是以炭筆側面製造出來的效果。

手眼的協調

畫家手眼的協調度在進行素描時，有其重要性。舉例來說，有位資深的人體模特兒某天說出一句令全班驚訝的話，她說她只要看畫她的人如何動作，便能分辨出誰能畫出最好的作品。「一個專業畫家頂多只瞄一眼畫紙，但卻會花費許多時間仔細觀察模特兒；然而學生則只將多數精力投注在畫紙上，而非模特兒身上。」害羞或者是自我意識強烈，也許是導致上述情形的原因之一。畫者一開始就必須強迫自己仔細觀察模特兒，如此才能確立對人體的手眼協調的掌握程度。

輪廓素描

輪廓素描,是我所知訓練手眼協調的最佳方法。它既可解決繪圖時花太多時間在畫紙上的基本問題,且能不重複觀察繪製對象。也就是說,進行輪廓素描時,會將前頁所述的情況反過來,作畫的人幾乎完全盯著模特兒看而不看畫紙,畫家只會將筆與目光同時沿著模特兒身體的輪廓線條緩慢遊走,好像兩者讓細繩牽引一般。

上左與右圖:此爲用柳木炭筆繪製的前視與側面人像輪廓,對臉部平面與輪廓的描繪然是詳細。

左圖:這幅則是以素描筆所繪製的人像,主角坐在椅子上。畫家之所以使用連續線條來覆蓋第一次的輪廓素描,用以搜尋各種表現形式。

輪廓素描練習

　　平頭筆與蠟筆最適合進行此種
練習。練習的主題可以設定為繪製
整個人像，或依個人喜好僅專注於
人體局部的細部描繪。也請盡量給
予自己充分的準備時間，忠於模特
兒身上的每筆線條，仔細觀察與欣
賞，將目光專注於模特兒的身體而
非畫紙上。接著，當開始描繪身體
的另一部分時，可先快速審視一下
畫紙，以便能重新選擇適當的落筆
處，再來，就要持續作畫而不再回
頭看畫紙。很明顯地，會發現這種
方法讓素描圖像完全扭曲，但這不
重要，因為這只是練習。兩小時
後，手眼協調度必會進步許多。

　　接下來，可嘗試繼續進行以活
動人體或傢俱為主題的輪廓素描。
無論素描的主題為何，基本原則是
不變的。亨利‧馬諦斯(Henri
Matisse, 1869-1954)便是在畫家生涯
中持續進行輪廓素描的典範。

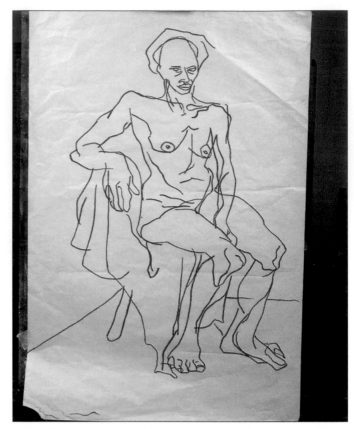

上圖：雖然人像在輪廓素描中常會發生變形的現象，但是透過小心與仔細的觀
察，仍可將模特兒所展現的特質捕捉於畫中。

上圖與右圖：這些頭部描繪是輪廓素描的另
一種形式。畫家的眼睛雖然仍停留在模特兒
身上，但平頭筆卻能快速地在圖上移動，以
「感受」臉部平面。

平衡

平衡與動態是一體的兩面。事實上，達到完美平衡是不可能的——因為身體是藉由不斷細微的調整來「維持」平衡。平衡最多只能視為動態中的暫停姿勢罷了。

義大利藝術家提出了「對置」（contraposto）這個概念，它是指身體用某部分來支撐另一部分以維持重量平衡的狀態。舉例來說，若一位模特兒站立時幾乎將所有的體重都放在一隻腳上，她的雙肩想必會放鬆且下斜與那隻腳同邊。而這時肩部的動作恰與臀部被迫向上的力道相反，頭部則與肩膀反向傾斜。因此，整個身體不至於完全倒向一邊，模特兒也算維持了身體的平衡。

無論是故意或不小心，當身體越過了平衡點，動態便會發生。我們必須體認到這一點才行，因為就算是最專業的模特兒在擺姿勢時，我們也必須觀察其動線與肌肉的張力。要知道，人體寫生素描如同生命過程一般，是沒有任何事物會徹底靜止的。

　　對於一個姿勢來說，基於兩點理由，找出正確平衡線條是必要的。第一也是最明顯的理由是，當然得避免畫出一個看來傾斜的人像。但第二個比較耐人尋味的理由是，一個人像在畫面上必須看來十分穩固地奠基並平衡於紙上，才能使其顯現出質感與重量。若缺乏這種感覺，一幅畫縱然在其他方面看來毫無錯誤，也難有真實感。

上圖：這幅是模特兒將重量平均分布在雙腳的鉛筆速寫。畫中的她身體向前挺出，好將平衡點維持在頸後，即足後跟的正上方。

右圖：在這幅以毛筆與墨汁快速繪製的速寫中，模特兒向前挺胸以維持平衡。而平衡線是由頸後一直延伸到小腿的彎曲處。

決定平衡線

為了觀察並測量出平衡，我們利用身體上的三個點與一條想像中穿過三點垂直落下的線做為基準。第一個點是為前視圖而設，在兩個鎖骨中央的空間，也就是頸部的凹陷處；第二點則是為了人像的側面而設，位於耳朵的凹陷處；最後第三點，為了背面圖，就在頸的底部中央。

如果依垂直方向舉起一支鉛筆，並以上述三點中任何一點為上端擺好，則垂直線必會與身體重心所落在的地面交會在同一點。舉例來說，若一位模特兒將重量擺在一隻腳上，則平衡線會由平衡點往下延伸至那隻腳的腳彎上，因為將全身的重量僅放置在一隻腳上是非常不舒服的，所以模特兒較可能將重量不平均地分佈於雙腳，所以平衡線會落在雙腳之間的某一點。

最上：此為一幅炭筆速寫。由這可以清楚觀察到，身體是如何彎曲以維持頸後的平衡點落在雙足正上方的情形。

下左：這幅鉛筆速寫即便簡單幾筆卻完全表現出：鎖骨中央的平衡點位於全身重量所繫的單腳正上方。

下右：這張鉛筆素描顯示當我們的身體下彎時，平衡點仍落在全身重量所依靠的那隻腳正上方。

選定平衡點後，在畫紙上以平衡點爲起頭畫出一條垂直線。倘若是幅前視圖，則平衡點就在鎖骨間的凹陷處，而且如果模特兒將全身重量僅放置於某隻腳上，那隻腳必會和這條垂直線重疊，但比較可能的情況是她將身體重量分別置於兩腳，因此在這種情況下，就需要標示出雙腳與平衡線的相對位置。

上左：在這幅鉛筆速寫中，頸後的平衡點位在支撐重量的單腳正上方。

上右：這幅速寫則顯示──無論身體如何扭轉，平衡點總是位於支撐重量的那一腳的正上方。

一旦決定重心位於何處之後，就要進一步觀察肩膀與臀部了。如果模特兒大部分的重量置在某隻腳上，則她同側的臀部會往上提，但同側的肩膀則往下斜，用以支撐平衡上推的臀部。這種「對置」是平衡的基本要項。身體在站立挺直時，其實是最不穩的，所以必須自動地以某部分的反向運動來補償另一部分的的推擠，而達到平衡。

利用側面的平衡線

賈 斯 汀 · 瓊 斯
(Justin Jones)

以下示範是告訴大家如何在只能看到模特兒側面站立的情況下找尋出正確的平衡
線。而最後就會發現平衡點位於耳朵凹陷處，身體的重心則直接由此落下。

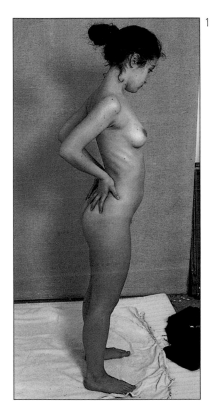

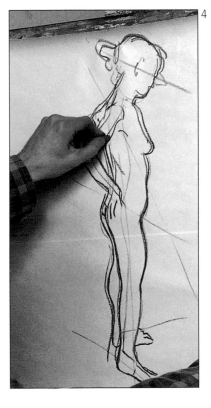

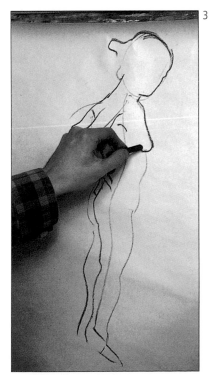

1 雖然模特兒的身體向前傾，但她的平
衡點，即耳朵凹陷處，仍在支撐身體重
量的雙腳正上方。

2 畫家先將頭部的形狀與方向概略地勾
勒出來。

3 輕輕繪出由耳至腳的平衡線，以建構
出身體姿勢。

4然後繼續增加頭部的參考線，並加入
臀部堆擠的線條與確立腳部位。於地上
的位置。整張素描得以完成，再以粉彩
鉛筆著色。

尋找正確的前視平衡線

黛安娜·康斯坦斯
(Diana Constance)

當開始描繪模特兒正面時，要記住平衡線是以兩片鎖骨中央的凹陷處為起始點向下延伸，所以如果模特兒將身體重量只置於某隻腳上，則平衡線會穿過這隻腳的腳彎。但若模特兒的身體重量是由雙腳來支撐，則平衡線會與雙腳間的連線相交會。

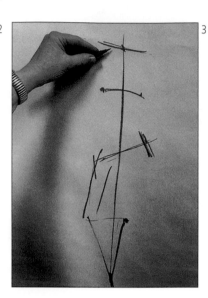

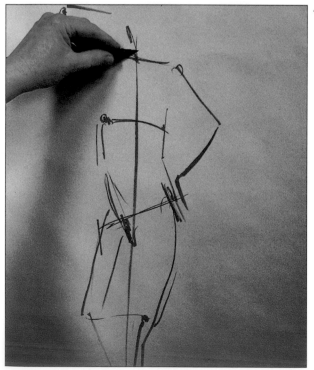

1 模特兒被畫家要求擺一個全身重量只能放在單腳上的姿勢，但這種姿勢並不舒服，僅能維持數分鐘。

2 先畫出一條垂直的平衡線，再加入橫跨臀部的參考線。因為重量在右腳，所以會發覺同側的臀部向上推。

3 加入胸部與肩膀的參考線，參考線顯示肩膀向重量集中的右邊傾斜。腳部的姿勢也要以參考線標示。

4 頭頸的反向推擠狀態在此亦被加入畫面，這個反向運動是為了使身體達到持續平衡。

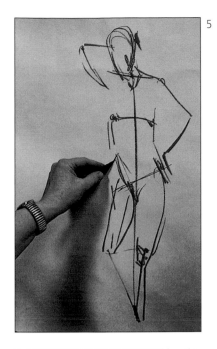

5 模特兒的體態逐漸顯現在畫紙上，有條理地遵循參考線所標示的姿勢。

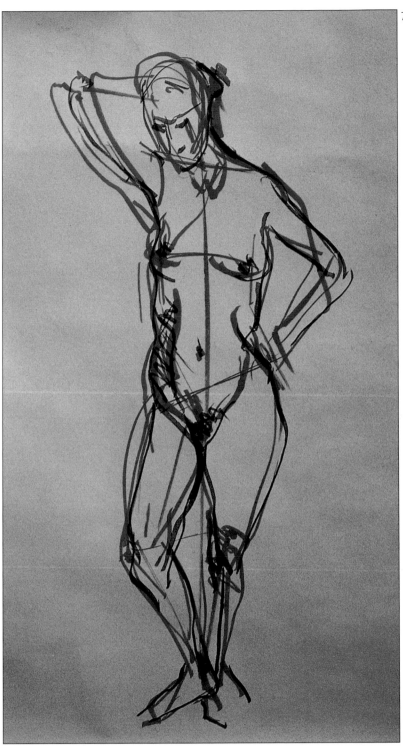

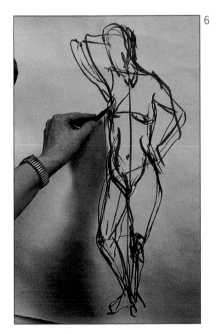

6 利用另一種顏色的平頭筆來畫出輪廓並再次強調素描效果。

7 這是一個簡略的示範。目的在於表現如何描繪出人像平衡。另外，無法擦拭的平頭筆通常不會被用來素描，因為參考線通常只須輕輕畫出即可。

動態表現

您應該常常聽見一幅優秀的素描被稱讚為「栩栩如生」吧？優秀的素描能賦予圖像生命，而圖像所隱含的動態美則是展現栩栩如生的部分原因。

姿勢並非靜止，而這動態美則充斥在全身之間。只動身體局部而不引發其他肌肉的連鎖反應是不可能的事，因為它們得進行細微的調整以維持身體的平衡。這些肌肉收縮與伸長的動作就是身體用來維持平衡的一種節奏性規律。就算模特兒靜止不動，她的身體仍是以肌肉相互的反向平衡(Counterbalance)來保持某個姿勢。這也是即使模特兒所擺的姿勢是最輕鬆的，然而過了四十五分鐘或一小時之後，她仍需休息的緣故。

每個人即使同樣都靜止不動或做同一種動作，方式也各有不同。比如有些人就常常會因為走路姿勢深具特色，所以總是遠遠地根本還看不清楚面貌長相時，就被別人認出來了。而「肢體語言」在素描中所扮演的角色更是重要——它們可以告訴我們的事，比對方想說的還多。情緒緊張的人，身體肌肉會收縮，整個人就呈現出緊繃、壓縮的狀態，好像他們正「壓抑著什麼」。此時，肌肉線條會比較有稜角，手臂與四肢相握或相互交叉。而心理輕鬆的人，則可明顯察覺出

他們的動作有著較長的動線，跨步也較大。他們伸長的肌肉會形成曲線，而關節也是鬆弛的。因此，肢體語言可說是一種「靜止」的動態，能強烈展現出情緒與人格特質。

左圖與下圖：左邊的鉛筆素描顯示出畫中女孩目前情緒處於緊繃，而且個性十分內斂，身體存有負面的能量。相較之下，下圖中的男性就似乎具有貓科動物般的能量，整個人好像就要跳起來一樣。

左圖：這是一幅有意思的精筆素描。背面頸部的平衡點落於承受重量的腳掌之後，這使模特兒看來像是正在與後方空間拉扯。

上圖：這個模特兒正在甩動雙手，因此看來有點失去平衡的樣子。

其實當我們做出類似跑或跳的動作時，是「有意識」的打破平衡。例如向前踏一步，身體重心自然便向前移動，在這短暫的移動瞬間，身體即失去平衡，而後腳向前移動則是為了讓身體回穩。只要身體向前的平衡不變，我們的動作便會持續重複。也就是說重複著起步、踏出步伐，先喪失平衡，再重獲平衡的步驟。因此當畫一個正在跑、跳或進行其他動作的人，應將平衡點朝所運動的方向再移前一點，來表示身體正處於失衡的臨界點。那樣一來，畫家便能替人像捕捉到某個動態的瞬間了。

在本章的課程中，我們姑且把比例原則與細部繪圖的考量先擺一邊，完全專注在人體的動態表現上，尋找出身體主要的動線並讓其他的部分跟隨這條線而行。

捕捉動態

　　要求模特兒用慢動作的速度移動腳步，然後再試著利用炭筆或平頭筆繪出一條連續線來表現她的動態。試著別讓筆或炭筆從紙上移開，保持在所繪形體中上下移動的狀態，甚至當畫筆由描繪身體的某個部位移動到描繪另一個部位時，也應遵循這個原則。之所以這麼做完全是爲了建立繪圖的自發性節奏感，因此別爲了修正錯誤而停止這個練習，畢竟這個練習的目的是訓練專注於觀察與描繪人像動線的能力。

上圖：圖中以線條環繞全身的方式來表現這個單純動態——維持三十秒的姿勢。

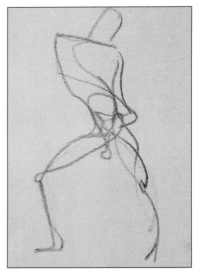

上圖：畫家以由上到下並左右交叉的線條來捕捉這個僅三十秒的姿勢所賦予的動態美。他特意忽視人像輪廓。

上圖：這是畫家用速寫的方式將畫中人像的輪廓鬆散地以平頭筆勾勒出來。

上圖：雖然這些素描都是在一分鐘內完成，但各個形狀與動態間的相對關係卻使圖面饒富趣味。

較久的姿勢

在持續每隔三十秒變換一次的慢動作素描後，現在不妨將姿勢的維持時間拉長成一分鐘。像之前一樣，先觀察模特兒的主要動作，然後以此為繪圖基礎，並在短時間之內加入新觀察到的身體變化。接下來，持續以漸進的方式延長固定姿勢的時間，哪怕模特兒只維持五分鐘的姿勢都至少得花半小時來練習構圖。另外，還要小心不要在模特兒動作變慢或暫停時，自己卻喪失了對動線的掌控。

將畫具改為毛筆與墨汁，是一個蠻不錯的主意。它會增加我們在五分鐘姿勢練習中，對速度的決斷力。

左圖：這張炭筆素描可充分說明光線對移動中人像所產生的影響。

下左：平頭筆最適合以速記的方式來繪製某個一閃即逝的姿勢中，具流線美的長形線條。

下右：此處是畫家利用中國毛筆與墨汁來加粗線條，徹底展現模特兒的動態與豐腴體型。

左圖：一幅利用石墨條所做的速寫。畫家先將墨條尖端以雕刻刀削成楔形，這樣，墨條寬邊即能幫助他快速繪出人像旁的負空間，然後再把石墨條轉到尖細那端，便可繪製纖細且筆觸明確的線條，這種記錄移動人物的方法是極有效率的，絕對值得一試。雖然身體僅簡單幾筆線條帶過，而負空間的運用則使人強烈感受到畫中人物的重量感，並捕捉了動態的瞬間。

左圖：若是模特兒如這張圖中那樣不停地移動身體，畫家勢必更需要快速地進行繪畫工作。看得出來，畫者選擇以石墨條快速地進行素描，並且將所有的精力都用在捕捉動態上，完全忽略人像細部的描繪。

空間的呈現

事實上，繪製立體圖像的能力並非與生俱來，一個孩童只能畫出物體的長與寬，卻無法展現物體深度。也就是說，我們可以依靠對色彩和設計的敏銳度來作畫，但我們必須持續與天生僅能畫出平面圖像的本能相抗衡，以便能進一步繪製立體圖像。

義大利建築大師飛利浦・布魯內列斯基 (Filippo Brunelleschi，1377-1446)就發展出一套有關數學的視角理論。他將平面無法直立的紙張想像成宮廷建築或推演深度景觀無限延展的可能性。雖然西方藝術家普遍認為空間感受極度重視是始於布魯內列斯基，但是最近在馬其頓皇家墓園發現的珍貴壁畫，那段描述珀爾賽浮涅(Persephone)被強暴的情節卻在在顯示出希臘畫家早於西元前四世紀就知道如何運用三度空間的前縮透視法。這項驚人的發現更正了我們的認知——透視概念早在文藝復興前兩千年就為希臘數學家使用。但無論誰才是我們該感謝的發明人，這種在平面上創造深度的技法已徹底改變了西方藝術並成為其重要基礎。

　　利用透視法來素描人體比素描建築物或景觀更為複雜，因為人體並非靜止不動，會不斷地產生「變化」。為了將前縮透視法在人體繪畫中運用自如，我們需要先了解幾個透視的基本規則。

下圖：這幅素描之所以深具空間感，全拜那隻朝觀賞者伸出的腳所賜，另外，畫家巧妙利用橫跨在腹部的投射陰影強化光線對比，更使整幅圖的空間感更真實。

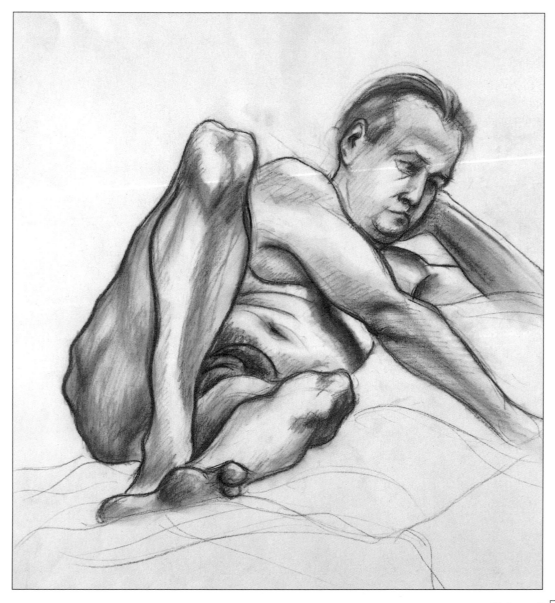

認識透視法

什麼是「地平面」？答案十分簡單，即為我們雙腳所踩踏的工作室地板。若站在外頭空地，不難發現地平面會由腳下一直延伸至最遠處的地平線。現在試著把鉛筆水平擺放在自己眼前，看看這條線是不是果真就在地平線上？從這裡便可歸納出一個結論，我們所稱之的地平線會隨著我們視線高度而變化。若坐下，地平線會移到與視線相對應的低處，但若起身，則地平線又會移到與視線對應的高處。

同樣的原理可以應用在工作室中，不過在室內我們通常比較容易忽略地平線與視線的高度。不如先檢查一下自己目前姿勢的視線高度，然後我們再一起來比較各種情況。如果繪畫者採坐姿而模特兒躺臥在沙發上，那她與繪畫者的視線應該恰好齊平。但如果繪畫者是站在畫架前，也就是說模特兒處在低於繪畫者的視線位置。所以若繪畫者繪畫的姿勢不同，是站立或坐下，對模特兒同一姿勢的素描會有很大的差異。

右圖：畫中的模特兒明顯處在低於畫家的視線位置上。畫家更利用她於房中的位置來表現透視法。

上圖：採平視角度觀察模特兒。

上圖：以俯視觀察仍保持同一姿勢的模特兒。

決定視線高度

當模特兒開始試擺姿勢時，要記得先觀察她身後的牆與身旁環境。再者，進行繪畫工作的過程中，也盡量目光平視模特兒，不要向上或向下看。若不知平視的高度為何？將鉛筆水平地拿在眼前就對了。並立刻快速記下鉛筆、模特兒以及她身後牆面三者的相對位置。倘若鉛筆剛好和模特兒重疊，那她就位於平視高度；倘若她是躺姿而鉛筆橫於其上，那她便低於平視高度；又或者她是坐在高圓凳上，這時鉛筆必定低於她，不過可能會有兩種情形出現——只有部份或完全高於平視高度。

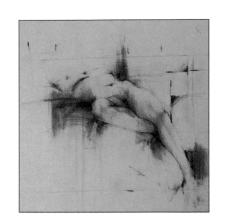

右圖：畫家主要是利用簡單的鉛筆線條與影線來製造3D立體效果，並採取褪色效果來營造出上半身的距離感。畫家在身體的平面上強調骨盆與雙腳相互扭動所產生的效果。

測量前縮透視的人像

一般而言，若採用前縮透視技法，即按遠近比例縮小，或縮短透視距離，所繪的身體姿勢會很怪異。那是因為許多人傾向於盲從自己的雙眼，畫出我們自以為見到，但卻並非實際呈現的畫面。因此為了避免這種情況發生，畫家們會更仔細地測量，以便確認所看見的圖像。那該如何測量呢？我們可以先由傳統的方法作為開端：拿著鉛筆並伸直手臂，將鉛筆與模特兒的身體某部分對齊，然後用拇指在鉛筆上作出長度記號。這樣一來即可幫助我們對模特兒身體各部位相對比例的了解。若是想對身體各部位之間作更精確的測量，別忘了，每次測量都必須站在同樣位置上，任何移動都會影響我們看待模特兒姿勢的視角，進而影響測量的結果。

或者也可以利用模特兒身處的週遭負空間來進行觀察。負空間是指模特兒周圍的空間(見28頁)。例如模特兒是躺著的，便可以由她身下的毯子或織物著手。普遍而論，由外在環境來觀察人體姿勢都比較容易。

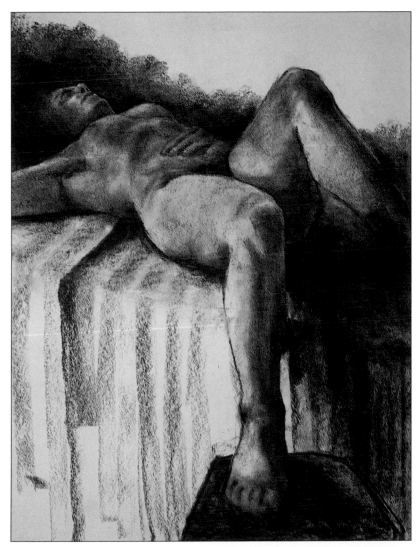

上圖：這張令人印象深刻的炭筆素描是畫家在近距離內繪製完成的，畫中不乏有極端前縮透視時會產生的典型扭曲狀態出現。

以前縮透視法素描人像

若想採用前縮透視的技法繪製人像，在開始構圖之前，我們得先知道幾個透視法的基本規則。為了將紙上人像合理融入3D立體空間，通常畫家會先畫出幾個代表身體各部分的幾何形狀。例如長方形或圓柱形便是常使用的幾何形狀，接下來則學習應該如何運用這些形狀在不同視角所呈現的形態。

在這個階段，大家不妨先利用各種幾何形狀畫出一張速寫草圖，這樣不但能簡化人體線條，並使欲採取前視退縮所繪製的人像得以更加清晰。別忘記利用負空間與觀察測量來作最後確認。另外，不知其他人在畫圖時是否總會有股衝動想將躺著的人以站立的方式表現呢？而錯誤也最常發生在這個當平視轉換透視的過程中。想必大家都明白，模特兒靠近繪畫者的身體部位會顯得較大，但隨著距離拉長，身體也會越來越小。這種比例上的差異會因為畫家和模特兒的距離越近而越顯著。這和利用廣角鏡頭照相的原理是相同的。靠近鏡頭的物

上圖：以簡單幾何圖形所速寫的人體。這個方法在初步繪製前縮透視的圖形時是個有用的輔助方法。

體其他物體比較起來，似乎成了「巨人」，體積大了好幾倍。所以畫家通常會用較深的線條來繪製模特兒較靠近他們的身體部位，且畫得較仔細，使這身體部位顯得突出。不可諱言的，具誇張效果的前縮透視便常常增加了圖畫平面的深度，而且成果總讓人讚嘆不已。

右頁上圖：這是一幅具有兩種不同視角高度的炭筆速寫：人像上半身與繪畫者的平視高度相同，但腿部以下則低於繪畫者的平視高度。

右頁下圖：上圖完成前的簡化素描。

下圖：從這幅將人體各部位簡化成數個幾何圖形的圖中，可明顯觀察覺出以下兩點：離我們較近的腿是由低於平視的角度所繪製出來的，還有身體曲線由下往上漸漸延伸至另一個平面，這個平面是畫家的平視高度。

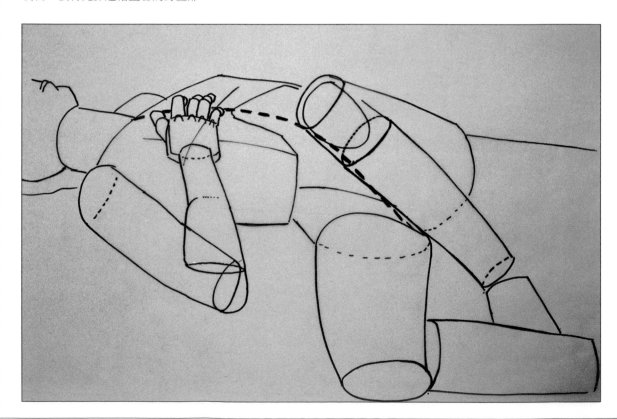

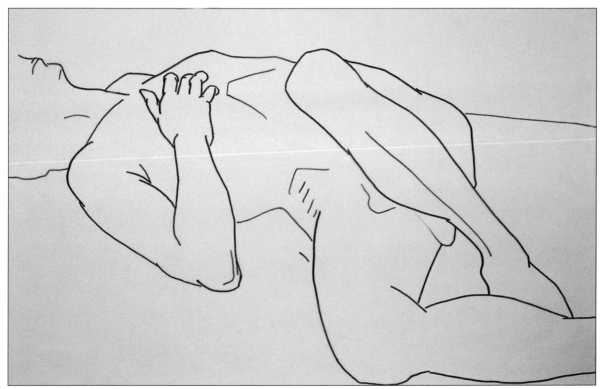

繪製前縮透視人像

賈 斯 汀 · 瓊 斯
(Justin Jones)

繪製一個前縮透視的姿勢必須使用系統性的方法。因爲不可避免的,我們對於身體的模樣似乎都存有一個預設的錯誤印象,而前縮透視所造成的身體扭曲,便與此印象相牴觸。所以在繪製前縮透視圖時,必須預留較繪製一般姿勢兩倍長的時間,以仔細作出較合情合理的觀察測量。

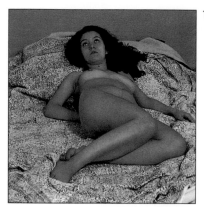

1 模特兒在地上擺好姿勢,以便畫家以低於平視的角度來繪畫。

2 畫家先由從具有圖像概念的參考線著手,只先畫出模特兒的整個形體,尚未開始作細部描繪。

3 已概略完成的素描。值得注意的是,畫家將模特兒身上任何一個與深度相關的重要部位都先以圓柱狀來標示結構。

4 以炭精筆加粗線條，並開始塑形。

5 由前端地面開始加強人像的塑形。

6 注意畫家是如何將乳房畫在胸部的弧
形肋骨表面。

7 最後，畫家再慢慢完成包括臉部與頭
髮的細部描繪。

8 完成圖。畫家將模特兒的身體各部位
以由近至遠漸次縮小的方式呈現。

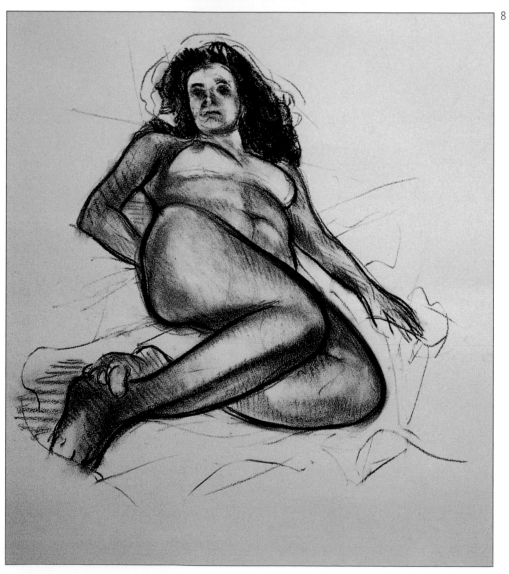

9

光線

光線具有將生來無趣的主題轉變成驚豔影像的魔力。
在成為畫家之前，那段五年學畫與擔任攝影師的日子，
是身為畫家的我所擁有的珍貴經驗。我了解到，無論攝
影題材多麼新穎，倘若失去光線，那麼攝影就是毫無價
值的。也就是說，攝影的內在意涵完全依靠光線存在，
而光線特性對成品所造成的影響更勝於主題本身。就曾
有個令人難以忘懷的經驗，那次我一大清早便抵達北希
臘某處進行攝影工作，可是必須要等官方人員到來，並
完成所有的申請文件之後才得以拍攝，所以一等再等，
終於在接近中午時才完成申請手續，逼不得已只好於日
正當中下進行拍攝，結果所有的作品都像是被漂白了一
般，而且最慘的是，大理石柱的影子就在它們自己的腳
下。我想這種情況，除了收拾行囊離開之外，當然也就
別無選擇了。

上圖：正前方平面照射的光線。

上圖：由左方射入的強光。

而我們之所以能「看見」模特兒，也全仰賴於由她身上與周圍所反射的光線。換句話說，如果光線改變，模特兒給我們的感覺也必然不同。所以畫家皆會藉由光線所凸顯的身體表面明亮部份與製造的陰影讓某些部位在視覺上更爲重要，進而改變抽象構圖中姿勢的顯著部位，另外，光線在表現繪畫情緒方面也有著強大的影響力。

那種由正前方平面照射的光線，以需要對人像作清楚觀察的線性素描來說便足夠了。但若爲了塑造主題的鮮明形象，則應試著以不同方式調整光線。這其實並不需要大費周章的，舉例來說，只要將房間某一方部分的燈關掉，就能產生

上圖：柔和的反射光。

較柔和的光線，並製造出些許陰影。僅利用微弱光線，在繪畫上的好處有：不會使人像主題變得平面，並且能以不明顯的影子來輔助主題的塑形。另一方面，強烈的光線，不但改變畫面的氛圍，還能製造出強烈的明暗對比，好比說因它而產生的長影可用來製造畫面的深度等等。此外投射燈也是繪畫工作室喜愛的配備之一。它所直接投射出的光線通常用來打造模特兒身上強烈的藝術張力，或是投射至牆面或畫布，製造反射光線。而立燈或桌燈也是可改變模特兒視覺姿勢的方法。

塑造光線

遺憾的是，大家似乎都低估了光線的可能性，忽略光線可是進行創作的重要工具，也忘記塑造光線和陰影的調性。僅僅使用線條所進行的素描根本是完全不同的兩碼子事。這並非在批評線性素描，一幅傑出的線性素描具有某種獨特的純粹性與抒情風格，這是重筆觸的塑形技法所無力辦到的。但塑形能使得繪製的圖畫更接近所見的真實景物。有人便將線條比喻為寫作，而線性素描自然則僅對主題文學或詩意作「描述」，卻無法臨摹真實景物。倘若我們能試著找尋人像中最光亮之處、中間調性與陰影這些東西，讓畫作更接近真實與自然，那便達到「畫我們所見」的目的了。

不過有趣的是，這樣做並不容易，也極不自然。一般來說，人們比較喜歡以線條來描繪人像，因此有時線條會增多變為整面塗鴉，或利用交叉影線來呈現。而這種情況

即是使簡單的線條過渡成一種色調，作為單純線條與塑形之間的灰色地帶。

上圖：在這幅以深色烏賊墨暈染而成的纖細圖像中，畫家還將模特兒的形體抽象化，以製造出光線瀰漫於室內的視覺效果。

下圖：這幅圖像則是以細炭筆線條來捕捉身體曲線。以深色調來表現負空間，使其與身體產生對比。身體的明亮感覺全拜光線照射所賜。

以軟粉彩筆在有色紙張上塑形

　　這個課程是為人像塑形所設計的第一階段。而不使用線條作畫將是個重大轉變，我建議一開始先使用小投射燈來協助自己觀察人像身體的明暗部位，好慢慢建立身體的平面感。

　　試著先由光線投射到的身體部位開始，或者先由短時間維持的姿勢著手，例如僅一分鐘的姿勢，並且使用非常軟的淡色粉彩筆在有色或深色紙張上作畫。選擇在有色紙張上著色是十分理想的，但其他可抓住粉彩顏料的粗糙面、深色紙張也都值得嘗試。然後進而捕捉所有人體上的簡單光線，另外也得避免繪製無關的細部圖形而中斷光線與動態的流暢度。記住，人體必定存有一個光線的主要投射區，而我們得先找出這塊區域的所在位置。

　　想當然爾，我們使用粉彩筆的力道便是決定紙上色調與色彩深度的主要關鍵。因此請抓住筆的一端，將粉彩筆在彩紙上移動，感受一下當改變力道的大小，所製造出的不同色調深度。在這個利用淡色粉彩筆進行練習時，力道越重，色調越淡，當放鬆時，則會製造中間色調。

右上：利用象牙色的粉彩筆在有色紙張上作三十秒姿勢的素描。這些不同的色調深度是畫家運用加諸在粉彩筆的大小力道來控制的。

右中與右下：畫家將模特兒擺姿勢的時間延長為一分鐘，這時粉彩筆與紙張的角度約為四十五度，筆尖朝人像外側。這樣一來，粉彩筆尖與紙張角度便能合力營造出圖形的邊緣與色調，好讓畫家能更快速地捕捉到光線的流轉與動態美。

當完成數個快速姿勢的素描後，繼續將姿勢時間延長到三十分鐘，而且現在可以開始嘗試同時繪製人像的光線與陰影處了。那麼接下來，選出一支較紙張顏色更深的粉彩筆，並開始繪製人像的陰影處。當選擇陰影的形式並完成後，再點出光線最明亮處。如果想要，還可以將色紙的某些部分留白，使它成為介於陰影與光線之間的中央色調。

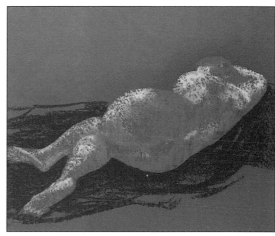

上左與上右：這兩張圖代表著同樣姿勢的不同畫法。兩者雖均由光線較亮的部分開始，但左圖以深色粉彩筆繪製的陰影處，替圖像製造了厚實感。而右圖採用亮橘色陰影，卻使圖畫的透明度大增。

上圖與右圖：左圖紙張在繪製前先以炭筆搓過。右圖則是一張完全以粉彩筆繪製的人像。畫家用象牙色表現光線、深黑色粉彩表現負空間。

以粉彩筆在柔和燈光下塑形

黛 安 娜 · 康 斯 坦 斯
(Diana Constance)

模特兒躺在低於畫家平視高度的位置上，並被柔和的光線照射著。畫家選擇使用暖色系的軟粉彩筆來表現昏黃光線。繪圖過程中需要混色，而且希望畫作具有細緻美感，所以選用英格紙。

1 模特兒躺在較畫家平視高度略低的位置上。所照射著她的柔和光線其實是經由畫布反射的燈光。

2 接著用淡色粉彩筆進行定位素描。注意畫家繪於下腹部與胸部的參考線，這些線提供了方位指引。

3 在完成定位素描的調整之後，則利用深色粉彩筆的邊緣與側面加粗線條，好開始強調繪畫主題。

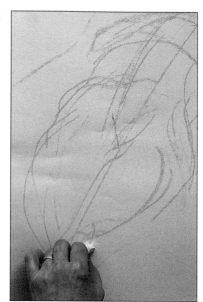

4 利用大拇指塗抹粉彩顏色。有些畫家喜愛用自己的手代替混色條。

5 觀察畫家進行混色的細節。

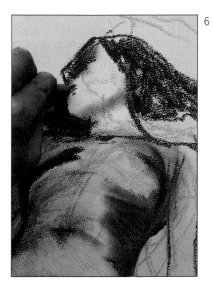

6

7

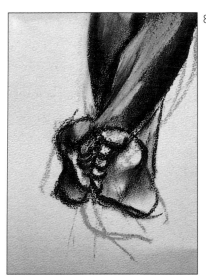

8

6 然後沿頭顱方向往上畫出濃密秀髮，並蓋過頭頂與左側下方臉頰，以此塑造出臉部形狀，也用最簡單的方式描繪出了頭形。

7 此處是更進一步的塑形。畫家利用指力將粉彩揉入紙張中，而不像混色條那樣把一大部分顏色刮掉。

8 腳的細部構圖也在在顯示出畫家高明的塑形技法。

9

9 最終完成圖。之前的參考線已被新鮮麵包擦去，畫家還加入摺綴效果使模特兒看來更真實些，不至於像飄浮在空中那般。

線條打造光線

在理想狀態下，打在模特兒身上的光線總是讓她們顯得更美麗的，因此塑形的工作就顯得簡單而直接。但遺憾的是，一般工作室中所使用的照明設備和超級市場並無多大差別，那麼若用於彩繪或素描恐怕效果是大打折扣的。所以我們必須學會該如何不靠光線，便能呈現出模特兒的真實體態。而這項課程的學習目標即是幫助大家想像光源可能投射於人像的哪些部位。

第一步便是要對身體的體積與重量進行分析。這個工作需要雕刻師的眼光，不過所使用的工具並非**鑿子**，而是以多重線條來分析人體各部位的形狀。當我們試圖重建三維立體圖像時，必須決定出哪些部位是向後退縮，哪些部位則是向前凸出而得以聚集較亮的光線。其實這多重的線條就好比繪製人體的等高線圖那樣，或者也可說是如同電腦描繪出高山與平原的圖像一般。

而這種幾乎覆蓋了除光線最強部分外的線條，不僅佈滿畫中的「陰暗處」，更因為相互交疊的方式使得圖面的色調越來越灰暗。待素描完成後，這幅僅用線條展現光線投射的手法，即可使人眼睛為之一亮。

左圖：以岱赭與黑色炭精筆所繪製的人體背面圖，因線條採用炭精筆繪出，自然較炭筆更為細緻，也製造出較輕盈、細緻的效果。

右圖：這幅採站姿的裸男圖是由炭筆所繪成，炭筆的剛毅直線成功打造出模特兒瘦長、有稜角的體態特性。而線條所具有的強烈能量與深色調，則製造出空間所瀰漫的濃烈情緒。另外，畫家還在大腿與小腿旁，用搓揉過的橡皮製造出許多皂白色斜線。

以 線 條 塑 造 形 體

黛 安 娜 · 康 斯 坦 斯
(Diana Constance)

由素描這個簡單姿勢的過程裡，可看出畫家是如何以線條來表現身體的體積與重量感。這張圖主要使用炭筆繪製，不過剛開始是先以軟粉彩筆加強背景顏色。

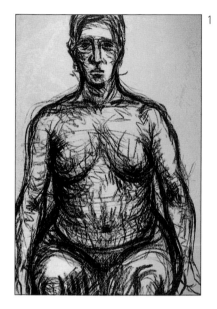

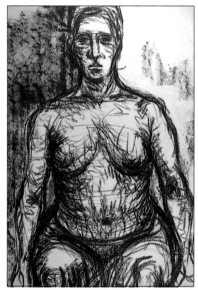

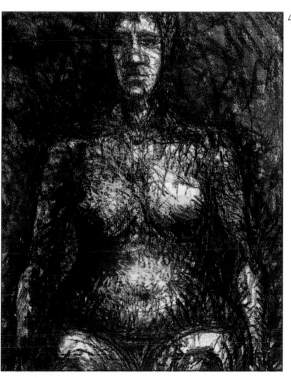

1 模特兒按照畫家要求作出極簡單的端坐姿勢。接下來畫家便利用炭筆在身體周圍重複描繪多次，那線條所呈現出的力道有如「雕刻」一般，而之所以這麼做的原因，在於想以類似「雕塑」的手法修正身體每一部位的方向性。

2 以軟粉彩筆為背景上色以凸顯人像。

3 在背景與人像光線較暗處添加不規則線條來使圖畫色調更深。有趣的是，隨著這些線條的加入，人像也漸漸顯得更立體了。

4 在完成用陰影包圍人像的工作之後，畫家僅留下圖中光線聚集處——最亮的部分。其實圖畫已成形，端看我們所要營造的感覺而停止繪圖工作，因為倘若加入越多線條，則畫中模特兒勢必會逐漸隱沒在暗處。

身體的平面

　　雖然身體結構是由複雜的圓弧形體所構成，畫家仍常將人像以「多重平面」來表示。但如此反常的現象全基於三點理由：第一，畫家極需能快速繪出並有效簡化複雜形體的方法。第二，畫家需要賦予人像強烈的立體空間感。第三，使用平面與角度來構圖可以改善且克服設計上的困難。因為平面與角度能使身體曲線與圓弧形狀產生鮮明對比。許多畫家即利用身體平面增加張力、豐富構圖中的圖像設計元素，而角度的運用，或許可以席勒(Schiele Egon, 1890-1918)的作品為例。就像我之前所述，人體極少有真正的平面存在，我們所找的只是一個趨近於平面的曲面。這些曲面包括了大腿的側面、胸腔前的平坦區域、肩胛、手肘、腳踝與肋骨的曲角、尖銳的頰骨等等。如果在畫面中製造越多角度和平面，則與身體上較彎曲與圓滑的部位便能顯示出越強烈的對比，而設計感自然也就倍增。

　　在初學階段，使用光線作為引導來觀察平面是較簡易的辦法。不過當經驗漸豐，這樣的方法就顯得不必要了。

上左：在這幅炭筆素描中，畫家使用混色手法來表現陰影的部分。

上右：這幅特別強調男性有稜角的自然體型畫作裡，畫家更以象牙色的軟粉彩筆在氧化紅的彩繪上塗抹。

右圖：在這張炭筆素描中，畫家對模特兒軀幹與四肢所繪的平面清晰可見。

左頁：畫中強烈的側面燈光是爲身體定形而設，陰影部分則以軟粉彩筆填滿。

左圖：不妨利用手側摩擦炭筆塗佈之處進行混色，然後再以揉搓過的橡皮擦隨性地擦拭深色區域，如此一來，就能替邊線至炭色較深的區域作出極佳的層次效果。

以炭筆爲身體平面塑形

炭筆應與彈藥紙、博士紙、英格紙或粉彩紙搭配使用。表面光滑的紙並不適合。

利用炭筆來塑形的手法有很多種。但無論是哪一種都需要先用柳木炭筆作簡單的速寫來替圖中人像定位。若想要在圖畫中加入室內背景，就應於素描階段時註明。另外，或者也可以將塑形想像成一種對人像光線與室內光線作「抽離」的過程，這樣一來就更容易了解何謂塑形了。比方說有些人認爲塑形即在畫面中放入陰影，而我則偏愛把塑形想成尋找光線並試圖留住它的過程。無論大家贊同哪一種說法，或因爲人像姿勢而有不同選擇，首要任務還是必須尋找光線投射的方向，並在繪製的過程中保持其一致性。舉例來說，小投射燈的光束就讓繪畫者較易分辨由受光面轉變至陰影面的界線，找出界線之後，就可立刻開始以炭筆的側邊或是利用較細的影線加深色調，進行塑形。並試著繪製大範圍的光與影區域，還有，千萬別讓小範圍的光或影使得試圖建立的形體或架構支離破碎。

一般來說，混色的步驟總是留到最後。所以當塑形完成後的畫面是未修飾的，還清晰可見畫面的「全景」，這時畫家才會著手用摩擦或混色技法來平衡畫面。這些塑形技法能讓畫面更加洗鍊。最後則須進行的由外至內混色步驟。

被揉捏過的橡皮擦、傳統的白粉筆與粉彩筆都是用來「打光」的最佳工具。橡皮擦可以在畫面中光線投射處用輕輕搓揉的方式，或是在整個區域上重壓來達到「打光」效果，甚至現在還出現許多畫家特別將橡皮擦納入「作畫素材」的呢！而他們大多都是利用橡皮擦的尾端如以鉛筆畫線那樣，在人像或背景的炭筆色調中製造線條或影線來完成「打光」工程。

壓製炭筆則利於在素描中製造較深、較濃的黑色調，且較炭條所繪製的更重，當然也就更難擦拭掉了。炭精蠟筆的使用方式大致與炭筆相同，其中黛赭與焦茶色就常常被用來表現較白皙的膚色。另外，調色也是個挺不賴的主意，能挖掘許多可能性，更讓人盡情享受「發明」的樂趣。最後，記得炭筆素描的成品需要噴灑固定劑，若能在儲存時覆蓋描圖紙，以保護畫面不受破壞，就更完美了。

右頁上左：在這幅由炭筆繪製的男性裸體人像畫中，不難察覺模特兒的站姿是將體重平均分配給雙腳。也因爲強烈的光線主導了整個畫面，使得構圖相當搶眼。而畫家最初的構想是欲找尋空間與人物形體的關係，譬如他就以人像身後織物的曲線平衡了角度與平面的構圖。畫家在強調向光面的光澤之前，還先以少許的混色手法處理這張厚重的炭筆素描，以呈現出較柔和的畫面。不過大部分的亮面仍是以搓揉過的橡皮擦來擦拭炭跡的。

右頁上右：這幅是利用與左圖相反技巧所繪製的炭筆素描。素描原圖中除了在人像上運用輕微的混色外，背景並無作任何混色。在擦去亮面區域的炭跡之後，畫家仍試圖繼續依靠構圖尋找各形體間的關係，因而他選擇以抽象的形式來表現大部分的形狀，至於人像則僅是全體構圖中的元素之一罷了。

右頁下左：這幅畫中坐在高腳凳上的裸體男人，是典型利用塑形手法進行炭筆素描的例子。他身上的平面是畫家採用輕淡的炭筆畫筆與影線所製造出來的，而最亮的部分仍是以搓揉過的橡皮擦除去炭跡完成。姑且不論模特兒左臂是否真有瘀傷痕跡，畫家將此處色澤加深其實僅是想讓手臂與腹部的色調區分開來。

右頁下右：這幅裸體男性抓著竿子的炭筆素描，絕對是個以平面表現男性陽剛氣概的最佳範例。這樣的設計是藉由加深背景負空間的色調，輔以投射陰影才得以完成，但無疑地，也間接鋪設出畫面的空間深度感。

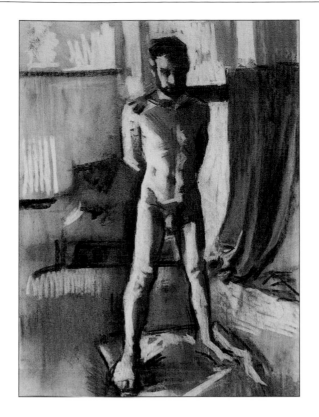

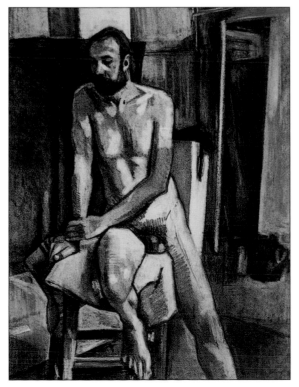

利用炭筆進行塑形之各階段

凡妮莎 · 威尼
(Vanessa Whinney)

利用炭筆塑形的技法是繪製形體的基本技巧之一。記住，炭筆的筆端與側面是可同時使用的，且用於繪製簡單姿勢時的效果最佳。在這個範例中，模特兒採取低於平視高度的躺姿，這個姿勢使得臀部與腿部的曲線出現許多轉折的曲線，也進而賦予畫面平靜放鬆的感覺。

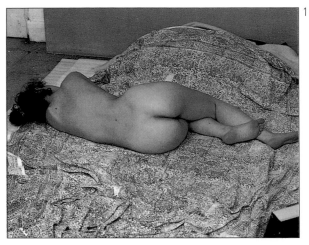

1 因為模特兒的身體只打了平光，所以畫家勢必在進行塑形時，得絞盡腦汁用想像力來避免畫出乏味的作品。

2 畫家先在紙上繪出腰臀間富含動態的曲線。因背部與臀部是整個姿勢的主題，所以畫家當然必須從這個部分開始著手。

3 利用炭筆的筆側來繪製人像上寬廣的平面部位。

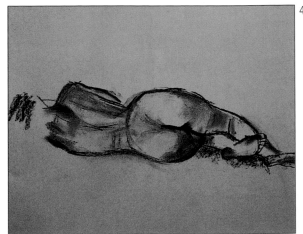

4 素描此時已大致完成，即畫家繪出整個人像輪廓，而忽略細部。

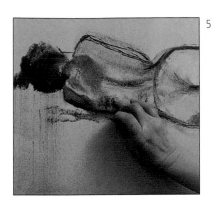

5 畫家將炭色輕輕地混入人像畫中，製造出粗糙感。

6 畫家以粗線條與暗色調來突顯身體某些部位，好強調主題。

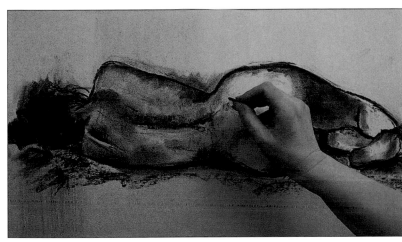

7 接著利用柳木炭筆進行細部繪圖。

8 這時畫家已將模特兒身上那種豐腴與柔軟美感在成品中完整呈現。

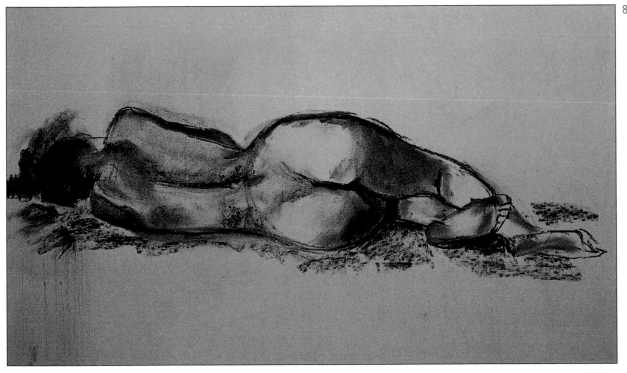

利用鉛筆塑形

　　雖然我們的視覺畫面不僅以線條來呈現，但許多畫家仍然成功地只利用鉛筆線條繪出逼真且具詩意的作品。若認為鉛筆只是個簡單繪圖工具，老實說，這樣的想法並不正確，而且錯得離譜。鉛筆是近代所發明出代替銀針的畫具，因為銀針這項工具堪稱畫家加諸於自身最嚴厲的苦難，也就是說，它用起來既費時又費力。它的主要功能是先將銀線繪於特製的紙上，並留下無法去除的金屬粒子，待失去光澤後，顏色變暗，就成為清晰的線條。雖說鉛筆似乎容易使用多了，但與銀針相同的基本問題仍舊存在，例如該怎麼同時控制線的性質、均勻度、流暢性與密度，還能使線條生動真實、充滿感情，又或者能激起共鳴，但當然最理想的狀況還是畫作能在無形中與觀眾進行「溝通」。

　　雖說線條一開始是被利用來繪製主題輪廓而已，但畫家卻逐漸研發出利用線條來表現不同區域色調的方式。這種利用線條來表現區域色調的方法事實上有很多，不過傳統的方法還是僅運用影線，即由許多近距離的平行細線來構成區域。

右上：這張以塑形手法所繪的畫作，其中那位站著的裸女是用削尖的硬鉛筆完成的。鉛筆細緻的線條幾乎完整融入厚實的黑色調中，但這可是個十分困難、且具高度實驗性的技巧呢！畫家先以淡色線條畫出形體輪廓，再用層層影線漸次加入所有塑形的圖面，最後的細節部分則以其他線條補強，使這些區域的色調變暗。平滑、高密度的線條賦予圖像一種如雕刻品般的質地，這種效果的確是很難用鉛筆達成的，不過這幅畫卻辦到了。

右下：以炭精鉛筆完成的一幅好圖。能如此捕捉到細微的肌肉線條，且真實呈現出人體的放鬆姿態需要足夠的耐心與專注力。

當第二層影線覆蓋在第一層的上方時，我們即稱此為交叉影線 (Cross-Hatching)。當然也可用不規則的線條來製造色調，這則是另一種所謂的塗鴉線 (Scribble Line) 了。但不管用哪一種方法，深色調都是以多層次的細密線條來組織而成的，因此在近代素描作品中，這兩種方法都會被使用，而且還經常混合使用。

再者，該如何選擇鉛筆的種類全憑計畫要畫哪一種素描而定。比方說，硬鉛筆如HB或4H就很適合作細部的描繪；而6B或8B的鉛筆則大多用來畫較黑且粗的線條。但這也只是大抵的原則，線條可能呈現出的特色還是得取決於繪畫者在筆端所施的壓力。就像當做細部的繪製工作時，筆尖便須以最細的砂紙磨尖。又倘若需要深色的粗線條，

則選用較軟的鉛筆，像是6B或8B鉛筆都行，並且用雕刻刀切割筆尖，使筆尖的石墨像是鑿子一樣時，無論想繪製粗線或細線全不成問題。

上左與右圖：這兩幅精巧的鉛筆人體素描都是以鉛筆稍稍施展塑形手法的結果，其中一為坐在椅上的男人，另一個則是站著的女人，均成功地展現完美3D立體人像。不過這位畫家想必研習了保羅‧塞尚 (Paul Cézanne, 1839-1906) 的作品，因為他曾這樣說道：「將自然的形體視為圓柱、球形、與圓錐，且每樣物品都以正確的角度來繪製，如此一來，物體的每一邊或每個平面便都會指向某個中心點。」

下圖：這幅以彩色鉛筆完成的素描，是畫家利用交叉影線手法所做的塑形，這些交叉影線融入紙張後便成為一種中間色調。另外，令人驚嘆的是，畫家還成功捕捉到了腳部由內向外伸，以及肩部扭轉的動態精髓。

利用彩色鉛筆塑形

賈斯汀·瓊斯
(Justin Jones)

利用兩種顏色的鉛筆作交叉影線，便可賦予素描更多的深度，且會給人一種溫暖感受。畫家先加入幾筆鬆散的線條，然後接下來在身體周圍與前後作一些皺摺。另外，這張素描就因為運用了紅與藍的線條而似乎瀰漫著一股淡紫羅蘭香的抒情意境。

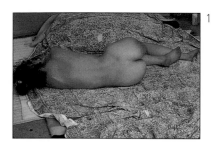

1

2

3

1 模特兒躺在低於畫家平視高度的位置。

2 畫家用藍筆概略勾勒出身體輪廓。

3 繪製交叉影線時則將紅與藍筆並用。

4 現在可以大致看出這種手法所製造出的效果，但因顏色較淡，故不明顯。

5 加入更多線條之後，整個形體便漸漸清晰。只不過這些交叉影線至少得花一至兩小時才能完成呢！

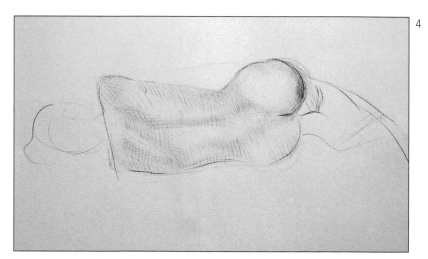

4

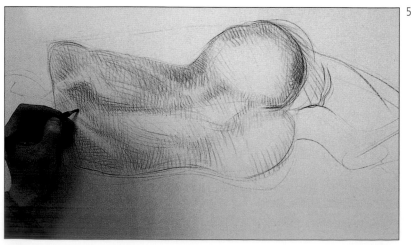

5

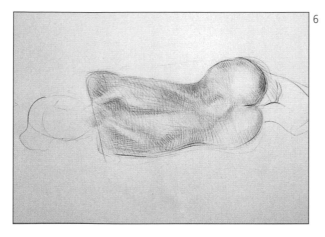

6 畫家所想表現的主要主題──人體軀幹部份完成，他也的確將大部份心力投注於此部份。

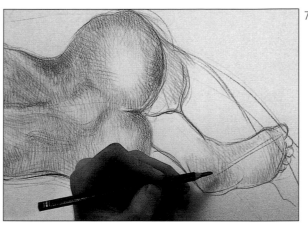

7 使用藍色鉛筆來加深腳底板的色調，使輪廓更為明顯。

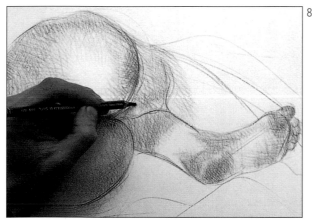

8 僅僅使用藍色鉛筆來繪製交叉影線，在視覺上會塑造出彷彿腿部正向後縮的感覺。

9 以搓揉過的橡皮擦來進行修整畫面的工作。

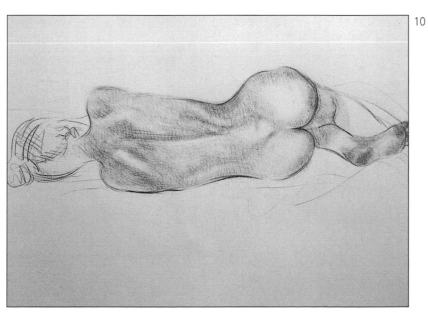

10 作品可算大功告成了。但若畫家的時間允許，希望能加深色調，他其實仍可繼續進行交叉影線的繪製。

交叉影線法

賈斯汀‧瓊斯
(Justin Jones)

交叉影線是最簡單製造灰階的方法。另外，在畫家慢慢繪製細密影線的那段時間，其實就是給予他考慮想要製造哪種效果的時機點。而且這個方法可在畫作的某些部份重覆數次，藉由逐步繪製影線的過程，凸顯局部的形體。

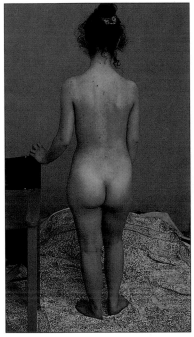

1 模特兒擺的這個簡單姿勢，是最容易用交叉影線來表現的。

2 畫家開始畫出模特兒的體型輪廓。

3 這個姿勢最有趣的部分當屬背與臀之間的起伏曲線了，所以畫家將人像的重點放在這裡。

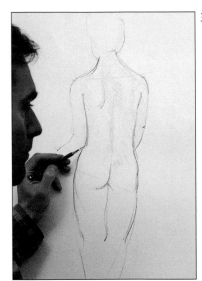

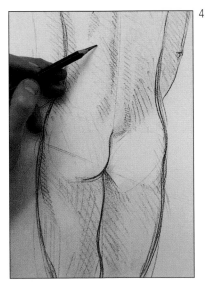

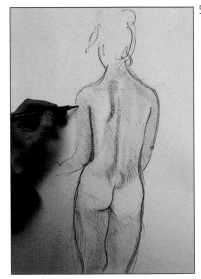

4 此處由畫家所作的細部描繪便可看出他如何運用線條來表現身體的圓潤感。

5 最後完成的全身塑形。

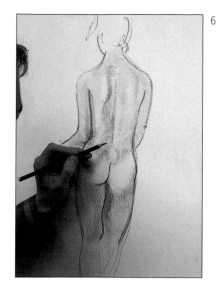

6 在這個階段，畫家開始加入一層細密影線來強調身體的細部特徵。

7 .每畫一層影線，色調就加深一些。

8 最後，畫出頭髮的線條。此處畫家選擇以蓬鬆線條表現優雅，自然就與其他部分所用的精細影線形成愉悅對比。

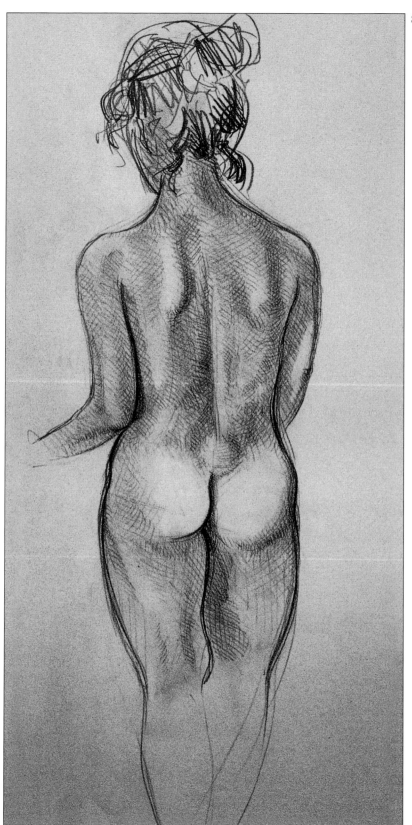

10

線性素描

線性素描的表現方式是簡潔且純粹的。它看似比水彩還簡單，但事實並不然，這兩種技法可都是必需長期累積技術與經驗的。

在任何一幅成功的線性素描中，都是因為內容具有某種程度的暗示性或使人對畫面產生聯想。但因為線性素描缺少了塑形的協助，所以在製造空間與體積感上顯得格外困難，這種嘗試以一維線條來打造立體空間的繪圖方式，的確是挑戰畫家心智的最佳方法。

要解決上述的困難，有一部分需仰賴透視法。試著先繪出模特兒躺或坐的台子、椅子，以便能界定出她身旁的空間。如果預計要進行大區域的構圖，則可以將作為圖畫背景的整個房間描繪出來，以展現畫面深度。當繪製線性素描時，我建議大家不妨稍微誇張地使用前縮透視的效果。比如說，假設模特兒是面向繪畫者坐在椅子上，若要在畫中製造立體空間的效果，就必須將她膝蓋到背部的這段區域作出逼真的深度感受，才能進一步說服觀眾。因此，畫中的膝蓋、脛骨與雙腳勢必得等比例放大，理由是它們靠繪畫者較近，而較遠的軀幹與頭部則不須如此。將前縮透視的效果誇張化能藉塑造出強烈的空間感，即便線條也能有立體空間之妙。

 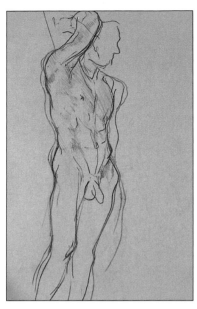

上圖：這幅炭精粉彩筆素描中，畫家大量地運用直線來強調男性較有稜角的身軀，而對於頭部的素描則較輕描淡寫，使它退居於畫面後方。

上圖：畫家敏銳的觀察與線條的流暢度賦予這一幅炭精粉彩素描特殊的氣息。它的線條由上至下一氣呵成，從未停頓。

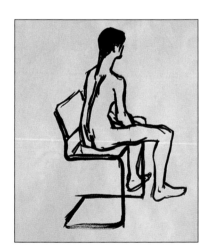

上圖：這幅素描選用中國毛筆為主要畫具，對於描繪纖瘦具骨感的身軀來說，的確是個挺不錯的選擇。

右圖：這張鉛筆素描不僅僅是人體素描的練習而已。畫家企圖繪製出一幅生動的人像，而不單是畫室中的模特兒，因此將畫室背景刻意作淡化處理。

第二個問題則是如何呈現身體在紙上的立體感，避免了免畫出有如紙娃娃般的人像，而達到這個素描目的，畫家皆需要邊作畫邊運用自己的想像力。其實，四肢都有其三維的立體構造，因此必須在紙上空出足夠的空間來製造圓弧效果。例如，如果模特兒雙腳併攏地坐著或是雙手呈交叉狀，就不能將雙手或雙臂畫得太靠近，那樣會使它們看來似乎存在於同一個空間，甚至存在另一肢「裡頭」。

一直以來，畫家都會用以下這個小技巧來製造人體的圓弧效果。無論是身體的某些部位相疊，相疊處是彎曲狀或位於關節處，只要強調前方的線條便可以表現出的確疊在後面物體上頭。

上圖：這幅速寫的鉛筆素描充分表現出身體的動態與立體感。頭髮的部分以炭筆線條來表現粗曠不羈，而且因線條較粗的關係，觀眾的視線自然而然便轉移至沉睡者的臉部。

上圖：畫家利用既輕且乾燥的筆觸在這幅畫中製造了有別於本頁其他作品的氛圍，另外，圖畫不僅構圖優美，更讓流暢的線條佈滿整個畫面。

左圖：數條簡單的線條便完成了整體構圖。模特兒的頭髮色調雖與其他部位相異，但這樣的衝突卻為畫面提供了動態，而當然也平衡畫面的單一調性。

開始進行線性素描

　　線性素描無需先作速寫，這種繪製方式的精髓便是自由鬆散的線條，倘若再對之前已完成的鉛筆線條進行描邊，那新鮮感必會蕩然無存。也就是說，線條特性不應成為素描的問題。即便錯誤難免就這樣產生，但由畫家自信繪出的線條總比畏畏縮縮要好得多，畏畏縮縮的線條只會破壞整體的流暢與優雅，讓「線條詩意」消失殆盡。保羅克利(Paul Klee, 1879-1940)就曾評論自己的作品宛若「帶著線條散步」，這種比喻十分貼切，因為線條的確在表現形狀時遊遍了全身。

　　許多能製造各種不同線條的鉛筆與畫筆都是線性素描的好工具。在開始作畫時，請畫者先試試不同的筆觸，和畫具建立好「默契」。

　　繪畫者進行線性素描時，所能選擇的畫具範圍由圓滑的鉛筆線條到參差乾硬的竹筆皆可。不過若是繪製大型線性素描時，我個人則較偏好軟鉛筆，因為硬鉛筆的線條太淡。至於平頭筆則是最近最受歡迎的線性素描工具之一，雖然它能使畫家繪出明快的線條，但遺憾的是色彩無法長久維持，所以購買平頭筆前最好先詢問店家是否會褪色或

色彩所能保持的期限。另外，使用彩色鉛筆或粉彩筆是十分有趣的選擇，因為它們所提供的多種顏色可以豐富構圖。還有其他一些可置換墨水匣的素描筆，則大幅提升了作畫的便利性。

　　再者，使用的紙張也會影響素描品質。比方說，越光滑的紙張，線條越顯犀利。而表面細緻的紙張，像是彩色水彩紙，則較適合搭配竹筆。

利用線條進行人體素描

賈斯汀・瓊斯
(Justin Jones)

　　這幅素描是以硬質的藍色粉彩條所繪製而成。作畫時，畫家需要不時地使用雕刻刀或砂紙來磨尖粉彩條，以便使線條不至於太粗。因為線條的性質是決定素描是否成功的關鍵因素。

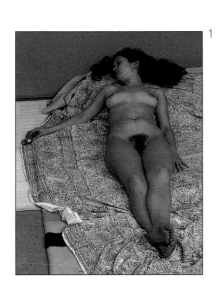

1

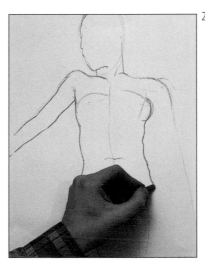

2

1 模特兒擺了一個低於畫家平視高度的姿勢。

2 畫家不畫出參考線便直接繪製人體輪廓，以保持線條的流暢性。

3 畫家完成了人體的基本線條，這些修長且具弧度的流暢線條均無被不必要的細節所破壞。

4 此圖以較近的距離來清楚顯示畫家是如何利用繪製乳房於肋骨的曲線上這個時機，來表現乳房的體積感。

5 畫家藉由繪製模特兒身體下方的軟墊與布料來突顯她身體的重量。

6 在此階段，畫家便開始加粗身體的線條並修正模特兒右臂擺放的形狀。

8 素描大致看來好像已經完成了，但仍有某些問題存在，例如模特兒上半身似乎並無緊貼於被褥。

9 畫家將臉部細節作模糊處理，並在胸部上方繪出陰影使其有下凹的感覺。現在這幅素描才真正算是大功告成了。

7 繪製頭部細節。

11

粉彩技法

因為粉彩同時可當作素描或彩繪的顏料，所以它便成了兩者間完美的橋樑。另外，它不但使用方便、功能眾多，又是以藝術家顏料製成。在這種情況下，同時被賦予了亮麗與精緻的特質。這或許是竇加在其許多具有開創性的作品中選用粉彩為上色與構圖工具的原因之一。如果粉彩在無酸紙上的繪圖能以裱框或其他合適的方式來保存，那麼粉彩的顏色必定可永久不變。

粉彩是種既能使畫家繪製彩圖，又不用等待顏料乾燥的快速構圖材料，而粉彩所製造出的質感也與其他顏料迥異。例如在粗糙的水彩紙上，粉彩不僅可營造粗曠的質感，且仍舊保留了可供混色的特性，讓某些區域得以呈現光滑質地以增強對比。其他染有中性顏色粉彩的紙張，將構圖中的光面與暗面「連結」起來。

還有，紙張的選擇也十分重要。紙張表面若是很光滑就無法有足夠的「鋸齒」來抓住粉彩的顏色，因此彈藥紙只能作爲概略素描的紙張。還得好好愛惜紙張，使其表面不受損壞或擠壓，因爲如果重複重壓，紙張很快便不能使用了。

爲了不傷害紙張，不妨使用新鮮麵包來代替一般橡皮。麵包中輕微的溼度可以吸收粉彩的顏色而不若一般的橡皮會把顏色揉進紙張裡，且壓傷紙面，造成繪圖修正的

工作備感困難。像我個人就會避免使用擦子，盡量以顏料覆蓋的方法來改變圖面。而粉彩就具備極佳的覆蓋力，且我也認爲利用漸次摸索的方法來建立線條既十分有趣，亦不會偏離繪畫主題。如同竇加的畫中無論是手或四肢的移動修改痕跡都清晰可見，我們也沒必要隱藏自己對畫作的修改。

粉彩的使用方法很多，而它多功能性質所提供的樂趣之一，便是可以自由自在地以它來執行任何新想法或實驗。

上圖：《基塔伊女孩》的作者R.B.基塔伊(The Kitaj Girl by R.B Kitaj)是最先使用粉彩的近代畫家，而賈斯汀·瓊斯也與他不約而同地使用相同技法來繪製這幅圖。四周的炭色製造出專屬淡灰色紙的鬆散深色調，茜色與土黃粉彩則溫柔地混入炭色與光亮面。她甚至還利用柳木炭筆來進行線性素描。描邊時，他不忘以深色線條圍繞人像，好將形體整個凸顯出來。另外，巧妙的灰色影子是炭筆與粉彩在淡灰色紙上混合後所呈現的效果。最後她又在反光面與背景中加進了一些白色粉彩。

粉彩技法

因爲粉彩本身不僅色澤很美又具有多種用途，使得粉彩成爲最受畫家歡迎的顏料。而且也因粉彩的可塑性極強，所以似乎還帶有必能產生新想法的保證意味，粉彩總能激發畫家們的靈感。粉彩素描是唯一可在數分鐘內利用各種不同方式發展或修改的。在此便提供各位其中數個值得嘗試的方法。

上圖：這幅僅以兩種顏色的速寫圖，黑色線條是利用軟粉彩而非炭筆繪製的。模特兒所躺臥的「底座」是利用炭精筆的側面著色再經由搓揉所製造的效果，而素描則是當著色完成後又加入的。

左圖：在這幅名爲《莉莉安》(Lillian)的畫作中，無論頭部的素描或所採用的紙張都與炭筆有關，紙張是先以炭筆輕輕搓過，然後形成許多表面紋路。頭部則是以炭筆完成。而畫家爲求在畫中表達對這位老友的感情，減少了粉彩的使用。

右頁：這幅圖呈現出軟粉彩在暗灰色紙上的繪製效果。畫家利用暗色紙張的繪圖優勢將其他亮麗顏色與皮膚的色調作十分明顯的區分，如此善用暗色紙張，因此繪製的不僅是幅人體素描，更是幅撼動人心的人像畫。

使用粉彩

　　粉彩條可以畫出各式的線條。而線條的先天差異就來自畫家拿筆方法與使力輕重而定。比方說，如果僅抓住筆的末端繪畫，除了畫出一條線之外，還能以其尖銳的角度或平面來製造不同色調。壓筆的力道越重，繪製的色調勢必也越深。另外，在一層色彩上輕疊出另一層色彩的混色也是受許多畫家所青睞的技法。但倘若不想混色，不妨噴些固定劑在兩層色彩之間。至於細部的混色可以靠混色棒來達成，或是利用像是手掌側面、小指，以及乾淨且乾燥的面紙來進行混色。

　　不過，我通常會在最後階段才使用混色，且能避則避。因為我偏愛較閒散的畫風，而混色有時卻會使作品的氛圍似乎緊繃了些。但這純粹是個人品味的問題，也與繪畫主題有關，看法僅供參考罷了。

　　若僅是繪製概略性的素描，不妨試試風景畫家常用的炭筆來揉搓紙張，即使手邊沒有這種材料，也可用粗炭筆作代替。只要一旦完成這道為紙張打底的手續，便可以用炭筆或粉彩開始作畫了。當使用粉彩筆側面的平面來作畫時，它的顏色會稍稍和炭色混合，產生較稀薄的顏色或色調。

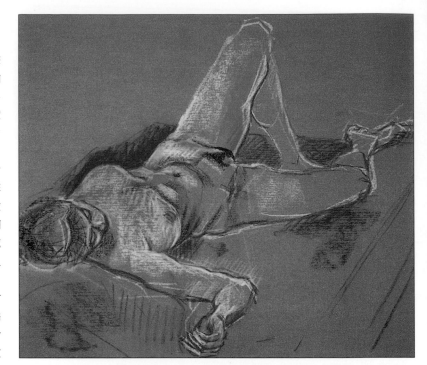

左圖：示範粉彩如何因施以壓力的大小而改變色調。

上圖：若用粉彩筆在粗糙的紙面上繪畫，而讓粉彩緊緊附著在紙張之上的這種情況下，是無法進行混色的，但多層次的色彩反倒使畫作呈現出類似油畫的質感。

在染色紙上使用硬粉彩

薇薇安·托爾
(Vivien Torr)

硬粉彩的特性較軟粉彩更接近炭精筆條。通常畫家都以它被削尖的筆端來進行有如使用彩色鉛筆那樣的繪圖，例如以交叉影線來建立物體形態等等，以下這幅優雅的素描即為示範。

1 除了在染色紙上以中間色調完成基本素描之外，也加入了較淡的色調。

2 畫家利用交叉影線在人像的淡色區域加上象徵細緻膚質的溫暖色調。

3 人像因為暖色調的加入而逐漸鮮明，也幾乎完全呈現出3D空間的立體感。

4 素描完成品。由硬粉彩的尖銳邊緣所製造出的線條讓這張素描帶有版畫的感覺，這是軟粉彩所辦不到的。雖也可以使用硬粉彩的側面作畫，但常常很快便會磨平原本細緻的紙質。

利用兩種顏色的粉彩素描

黛 安 娜 · 康 斯 坦 斯
(Diana Constance)

有時姑且減少一下所使用的顏色種類，或許會發現出乎意料的效果也說不定。譬如這幅作品僅用了深淺不同的土黃色來繪製成單一色調的素描，因為畫家希望能展現出模特兒身上光影的速寫描繪，而用漸層色彩來代替線條。

1 模特兒擺了一個全身大部分重量都在她左腳上的站姿。因為固定姿勢需要的時間過長，所以還放了一張椅子在一旁讓她扶著。

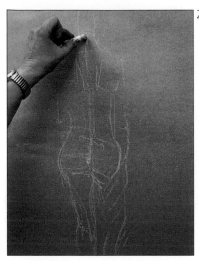

2 先以中性灰色調在所選用的染色紙上作簡單素描。

3 利用較深的色調由脊椎部位開始蜿蜒地畫出陰影。

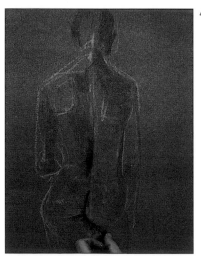

4 陰影描繪完成，再加入一些更深的色調來強調脊椎與臀部這段的動態。

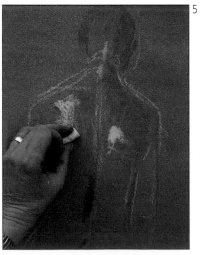

5 利用淡色且觸感細軟的粉彩輕拂紙面，好進行受光面的上色動作。

6 全身光影的基本描繪大抵完工。

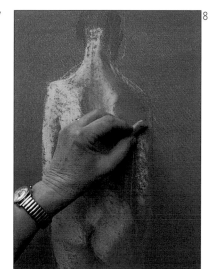

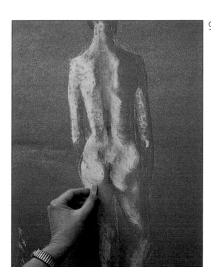

7 這張近距離照片顯示畫家以手指將顏色輕微地塗抹於紙面，為我們示範如何在深色色層之上或之中加入淺色粉彩的方法。

8 在這個階段中，畫家力求讓色調更顯突出，並使身體的各平面更立體。

9 最後，再利用塑形微調使人像比例更具平衡。

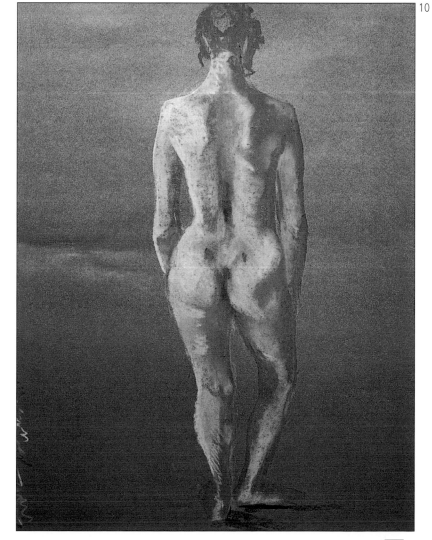

10 速寫大功告成。由此我們不難觀察出人像的重心是由頸後直接落到雙腳之間，且模特兒用來攙扶的椅子因會破壞畫面的簡潔，而被畫家忽略了。想必讀者已能明白如何只用兩種色調的粉彩，即讓人像豎立於畫面中了。

粉彩疊色

要進行粉彩疊色的工作前,得先準備軟粉彩、柳木炭筆與一些水彩紙才行。

在作長時間的素描時,務必先用柳木炭筆完成人像與構圖的基本素描,再以相同的細炭條在各個陰影部分添加交叉影線。這個方法即是讓整張圖的色調在未上色前就已經做出定案。而之所以要在使用粉彩繪圖時,先計畫好構圖上的明暗區域,全因粉彩的顏色輕盈且具有誘惑力,讓繪圖者非常容易分心,失去對畫作所應抱持的色調明暗標準。如此一來,畫出的成品必會流於膚淺又缺乏整體結構。

接著,選出幾個顏色,用粉彩筆的平滑側面在畫面上加入基本色塊,在其他細節中重複使用這些顏色,完成素描整合的工作。另外,因粉彩與炭筆十分相配,所以不妨在陰影處加入淡藍或冷綠與炭色融合,製造出精緻的混色效果。

現在基本架構已經完成,可以持續加入些許彩色網線,或利用粉彩筆的側面繼續堆疊出形體的立體空間感,並要給自己足夠的時間來營造織錦般的顏色效果,使底層顏色得以更為明顯。此外,記得在畫作完成前,不要噴灑固定劑。

混 合 使 用 炭 筆 與 粉 彩

黛 安 娜 · 康 斯 坦 斯
(Diana Constance)

因為炭筆與粉彩同屬於乾性條狀顏料,自然很適合兩者一起混用。雖炭筆較常被使用作前段的速寫,不過在下面這個例子中,畫家延伸此觀念,以炭筆來定出素描的基本色調。

1 預先使用炭塊搓揉紙面之後,再於其上以炭筆進行基本速寫工作。

2 構圖已漸漸清晰,至於斜線可是用來引導我們將視線轉移到圖中第二個人像上的大功臣呢!

3 以質地細緻的軟粉彩淺淺地蓋過第一層的炭筆畫,若是使用硬粉彩則會把底層炭跡推開或與其混合。

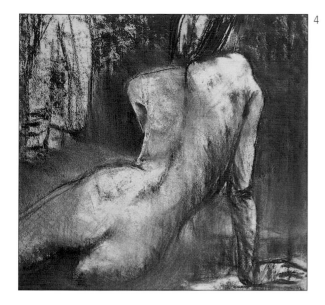

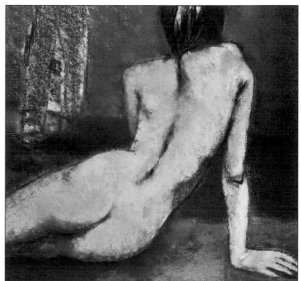

4 畫家加入更多粉彩，使粉彩在陰影處
與炭色交疊產生出艷麗的銀色光澤。

5 以粉彩在炭筆所打的深色底上作畫，
色調顯然更加鮮明多了。

6 畫作完成。

12

頭部素描

不論對素描人體頭部或練習裸體人像的初學者來說，均須以探究全身的平衡與動態爲起點。因爲我們所繪製的身體局部部位，其實都反映著人體的全身，而頭部素描則是其中最重要的例証。

頭部的活動方式可說是十分多元的。頭部位於頸椎頂端，寰椎之上。頸椎則位於整條脊椎的上半部。全賴頸椎這些堪稱上帝精巧設計的骨骼，使頭部得以輕易地前彎後仰，左右轉動。而這當然也是人體中最有彈性的關節了。對於畫家來說，其實頭部是需要眾多肌肉共同合作才能將其定位的，但最重要、也最明顯的是兩條由胸骨到乳突、在雙耳之下與頭部連接的肌肉。這些眾多的肌肉先包圍頸部側面，最後再與胸骨、頸椎或鎖骨的正面相連。我們也不難在男性與女性身體中發現這些強健有力的肌肉，既能協助頭部轉動，並塑造出頭部優雅的弧線與對角線。因此這些線條自然成為繪圖的表現重點。

再者，素描時應把頸部與頭部視為同一個單元，然後循著脊椎與肩膀找出合理的動態。以自身為例，我總是在未下筆前就先以全身的姿勢來找出平衡和動態，通常由肩膀位置開始，再將目光向上延伸到脖子，最後才決定頭部扭轉的正確角度。

上圖：請注意這張優秀的鉛筆速寫中，五官是如何包覆骨骼與分布於臉部曲線的。

下圖：這張圖顯示出某些頭蓋骨突出的部分，以及它們如何影響頭部外型。

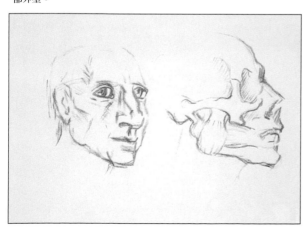

下圖：一般來說，頭蓋骨的前後深度與臉的長度大致相同。

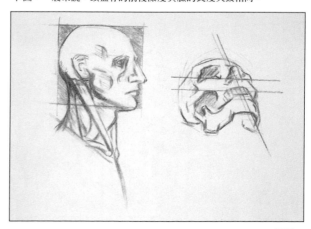

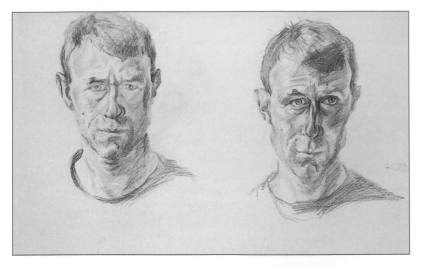

左圖：畫家常畫自畫像，倒不是因為自戀情結，而是較實際的原因：自己當模特兒是免費的！而這也解決了我們對於一些較費時的技法—如交叉影線法練習的困難。畫家文生(Vincent Milne)把自己的臉當成畫中的模特兒。

根據人體結構，頭蓋骨的深度是與臉部長度差不多的，下巴則介以韌帶與上顎骨相聯。這一點在模特兒用手托著臉頰時，就顯得十分重要了，因為那時下顎被往上推，它的重量不再依靠韌帶來支撐，而是由上推的手與手臂來取代。因此如果是正確地繪製這種取代效果，那便要真實呈現出頭部重量落入手的感覺。

只要模特兒的臉與畫家平視高度同高，且正面對著畫家，那麼頭部就並不難畫。遺憾的是，這種情況不常發生。所以在素描之前，務必先觀察三點。第一，模特兒的頭部位置在繪畫者平視高度之上或之下。第二，頭朝哪個方向偏。因為頭不輕，所以隨著姿勢維持的時間越來越長，所偏斜的角度會越來越大。這點必定要牢牢記住不可，然後讓模特兒再花幾分鐘的時間擺好姿勢。第三，看到多少臉部的部分，是正面全貌、半邊側面，但最有可能是兩者之間。

左圖：這張畫風衝擊性極強，且令人印象深刻的頭部素描，是畫家重複多次刷開炭色，再覆上新色料而產生的結果，最後還用了揉搓過的橡皮來強調光線照射處。

上圖：這張炭筆速寫展現了畫家對女性臉部曲線的捕捉功力。

右圖：畫家賈斯汀・瓊斯（Justin Jones）的自畫像，他用極細密的交叉影線建立整張圖畫的色調結構，又利用重複加入的影線線條使畫面得以呈現出優美及平滑圓潤的感覺。

上圖：想必這位模特兒是畫家的好友吧！才會願意以這種如極刑般痛苦的姿勢讓畫家作畫。畫家採用優美而流暢的線條繪製出柔細頭髮與非常逼真的圓潤額頭。另外，頭髮從前額及後腦如波浪般瀉下，也打造出空間的立體感。

如果繪圖者可以看見模特兒臉部的四分之三，就應在紙上決定出臉部的中線，以及該如何以前縮透視表現較遠的那側臉龐。由於畫家與模特兒只要任何一個改變身體位置，便會更動這個角度。因此應先在紙上用參考線標明位置，並盡力維持。即便模特兒微微變動姿勢，繪圖者仍須將自己的位置調整到與之前畫面相同。

一旦選定了頭部位置，接下來便要決定臉部的中線所在。在紙上輕輕地以參考線標示出模特兒五官的位置，然後再用這些相互平行的參考線繪出整個臉部曲線。一般人的耳朵高度介於眼窩上緣與鼻子下端之間，但耳朵的角度與傾斜度則應根據下顎的線條來決定。倘若想歸納出高相似度的臉型，不妨試著測量由雙眼到鼻子下端、到嘴巴、到兩頰所形成的四個三角形，這絕對有助於我們了解某些特定臉形。

頭部的前縮透視姿勢

黛 安 娜 · 康 斯 坦 斯
(Diana Constance)

畫頭部時有兩件事要牢記。第一，因為頭部以寰椎相連脊椎，所以要讓它保持平直地向前正視是十分困難的。且正如寰椎的名字所暗示，寰椎允許頭部輕鬆且任意地轉動到任何角度，那麼更別要求頭部能固定不動了。第二，頭部無法找出任何一個平面，尤其臉上五官均有其弧度。因此，頭部的確是一個難用繪畫正確捕捉的部位。

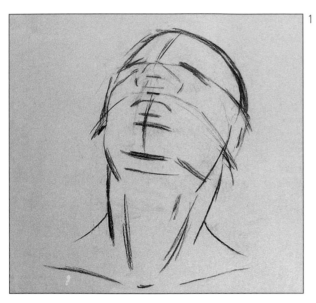

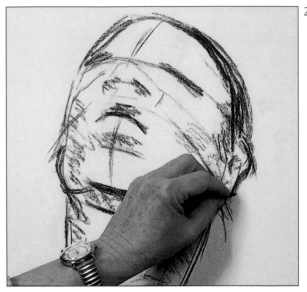

1 剛開始先以極輕的筆觸作速寫，將參考線畫在頭部四周，便於日後五官在曲面上的定位，而且一定要記得加入想像的中線把五官對齊。

2 根據參考線逐漸畫出五官，另外光影的塑形也盡量在這階段完成。

3 在這幅完成的素描中，可明顯看出離觀衆較近的下巴面積自然比遠處的前額大，而兩條乳突肌則由耳後向前包圍頸部並延伸至鎖骨。

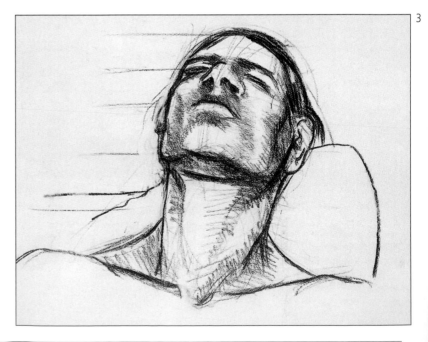

13

手腳素描

手腳的構造十分複雜，絕對需要多花點時間研究。即使這兩個部位對初學者來說，困難度極高，但倘若能徹底了解手腳的基本構造，畫好它們根本只是輕而易舉。還有，掌握手腳的骨骼是如何相互連接，也對繪畫工作極有幫助。

手部構造

下圖：手掌的骨頭。

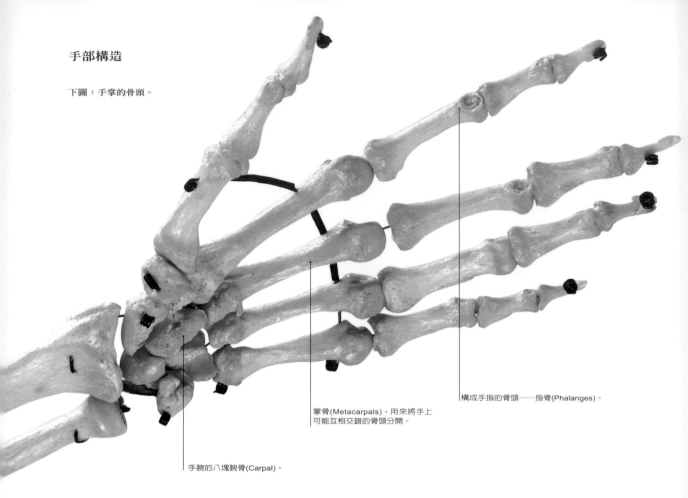

構成手指的骨頭——指骨(Phalanges)。

掌骨(Metacarpals)，用來將手上
可能互相交錯的骨頭分開。

手腕的八塊腕骨(Carpal)。

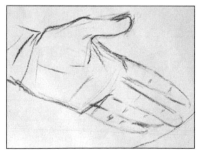

上圖：這幅是使用炭精筆，以參考線來協助
畫出手指方向的素描。

由骨骼結構可得知手部的構造
就有如扇形一般，骨頭由腕骨為起
點向外呈放射狀排列。除大拇指僅
三塊骨頭之外，每一隻手指都有四
塊骨頭，稱之為指骨。不妨先由第
一塊骨頭——掌骨開始認識起，掌骨
被包圍在手掌與手部的中樞構造之

中，而這些骨頭的第一個關節便是
指關節了，因此指骨是掌骨延伸的
這個事實，請各位務必牢記。我們
常會發現手部構造被畫家畫成一個
僵硬的團塊，僅凸顯手指進行抓取
或其他動作。但其實這些動作應該
由整隻手共同執行，也就是說，整
隻手都會呈現出某種彎曲或弧度，
與手指相互配合才能辦到。而且手
掌或手部的頂端幾乎很少有完全伸
直的時候，例如當手臂或手掌放鬆
時，即能輕易察覺出手腕到手指所
形成的一個延長弧線，當然那時的
大拇指必定朝掌心彎曲。

因此，我常鼓勵學生只要有機
會便多用自己的手來作畫，好熟悉
整個手部動作的伸展模式。

上圖：畫家賈斯汀‧瓊斯名為《兩位東方女
性與孩童》(Two Asian Women with Child by
Justin Jones)的作品局部，粉彩。

上圖：以炭精筆素描某位男性的手掌。

上圖：僅概略描繪出形體而不考慮細部。

上圖：由這幅已完成的炭精筆素描中，我們不難發現畫家是利用精細的交叉影線來對形體進行塑形的工作。

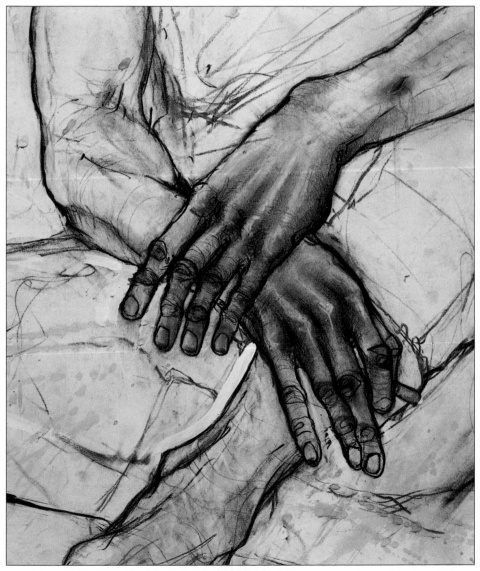

上圖：採炭筆與粉彩作畫。由於這位畫家曾研究德國繪畫大師克拉納赫(Lucas Cranach，1472-1553)的畫作，因此他對手部的描繪也特別講究，線條自然十分搶眼與清晰了。

手部動態

當我們畫手的時候,總傾向於將手部動態僅侷限在手指上。但倘若我們仔細觀察骨骼,便會發現手指的骨骼不過是由我們肉眼可見的「平坦」部分(手掌)所延伸出來的。因此只要我們移動手指時,整個手掌的模樣都會改變,而非只有手指而已。以下的繪圖示範即是強調這一點。

右圖與上圖:即使這幅炭筆素描的線條有些雜亂,我們仍能從左上方的簡化線性素描清楚看出畫中的手掌與手指,其彎曲程度似乎快要變成一個圓圈了。

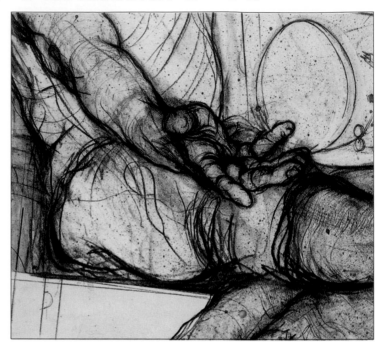

右圖與上圖:這幅炭筆素描具體呈現出整隻手的彈性,因為整隻手由手掌朝手指方向延伸並覆蓋整個後腦杓。

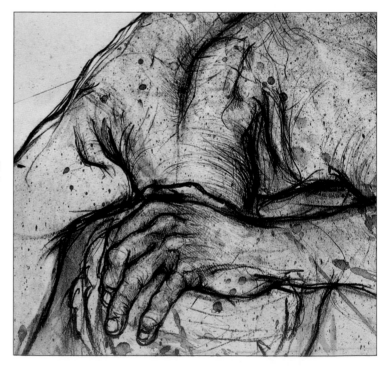

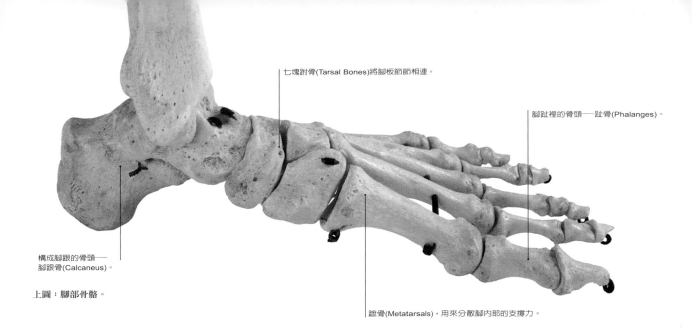

七塊跗骨(Tarsal Bones)將腳板節節相連。

腳趾裡的骨頭──趾骨(Phalanges)。

構成腳跟的骨頭──
腳跟骨(Calcaneus)。

上圖：腳部骨骼。

蹠骨(Metatarsals)，用來分散腳內部的支撐力。

腳部構造

其實，腳和手的長度是一樣的。就像我們之前所見，腳踝關節雖使腳可以自由地前後移動，但關節轉動範圍卻存有一定的限制性，而且腳關節還是不對稱的。就像一個頂端被削去一刀的不平衡三角形，腳踝底部高度由平緩的外側逐漸降低，足弓的彎曲只有在內側才看得到。若將沾濕的腳踩在牛皮紙上，在牛皮紙上的腳印就會明白地顯示出腳部的外側平坦，足弓與腳趾則有著彎曲弧度嘛。另外，由骨骼構造也可看出跟骨是如何突出於腳背，可惜的是，我們無法看見隱藏於腳部強韌的阿基里斯腱，更遑論它如何連接腳跟骨了。

腳踝位於脛部的一塊大骨頭末端，我們又稱這塊骨頭為脛骨，與較脆弱的腓骨並列在腳踝上方，並

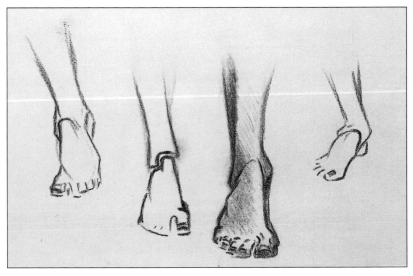

由這兩塊骨頭夾住腳部頂端，而形成樞紐關節。踝關節內側的突出處即位在脛骨側面，它比腳部外側的腓骨高。若想記住腳踝各骨頭位於內或外側，排列或高或低，僅須把握這個「較低的一邊位於高度漸降的腳部外側」原則即可。

老實說，以鏡中自己的腳為練習主題是個能節省昂貴的模特兒費用的好方法。

上左圖：這幅炭精筆素描精準地描繪出足弓的彎曲。

上右圖：這幅炭精筆素描所繪製的腳部構造──脛骨與腓骨緊緊地夾住腳部上端，而內側腳踝則高於外側。

因人而異的腳部

　　腳部的表達能力和手一樣豐富。又老又粗的腳能顯示許多關於此人的生活型態點滴。以下便是數張十分有趣的腳部素描，呈現出各種不同的人格特質。

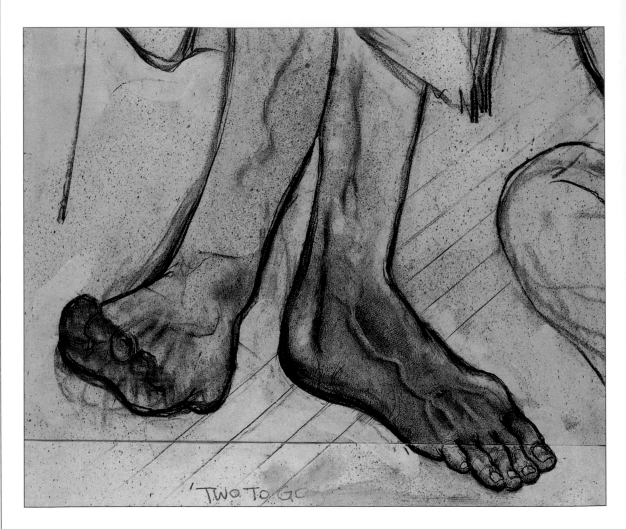

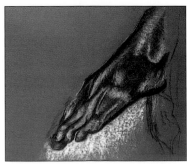

上圖：由這張有趣的炭筆與粉彩素描中，我們不得不佩服畫家除了細心觀察腳部的構造之外，還具體呈現出這雙老腳擁有者的生活面貌，如指骨部分因為多年穿著不合腳的鞋子而扭曲變形。

左圖：這幅以炭筆在紅色紙張上所作的素描，作畫者用白色粉筆來表達、加強光線。此外，這張圖花了兩個鐘頭才完成，不躁進是畫作得以成功的因素。

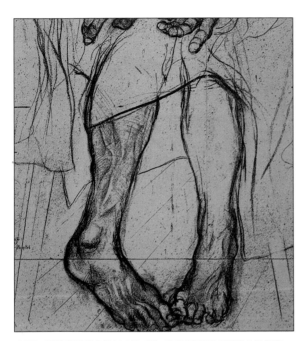

上圖：這幾張腳部素描似乎皆不約而同地為腳的表現能力作背書。

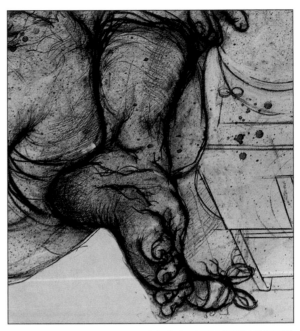

上圖：這張圖正確地繪製出當腳部扭動時，腳跟與腳踝結構的相對位置。尤其避免了學生在素描腳部時，往往低估了腳跟大小的缺點。

下圖：炭精筆對腳與腳踝的素描。

下圖：此圖清楚描繪出樞紐關節與脛骨末端的突出處。

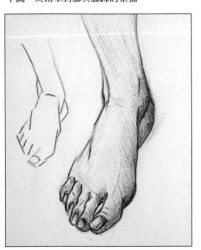

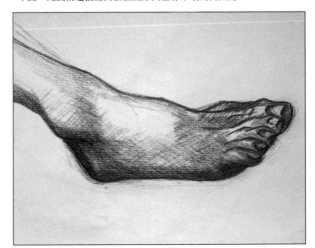

14

內容與構圖

美麗的人體素描，就算不添加其他裝飾物或作任何發展，也是一幅藝術品。不過有時我們仍會希望能將人體圖像融入構圖當中，以展現更多意涵。

多數人似乎都很難想像構圖對圖像的影響有多麼重大。當我們將重點放在個體本身時，幾乎無法察覺自己的眼與心正對週遭的景象進行記錄與評估工作。這就有點像是潛意識所進行的宣傳效應，許多意象在不知不覺中傳遞出訊息，而我們確實也接收了。又如同一個在強烈燈光照射下、正坐在污穢地鐵上的女孩，若出現在隔日午後和煦陽光的公園長板凳上，也許無法馬上被認出來。

當我問學生將人像融入某個構圖中代表著什麼意義時，他們的模樣彷彿正承受著可怕的折磨。

構圖(composition)一詞是由拉丁文(Contextere)延伸而來的，指的是「編織或結合在一起」的意思。這個字在文學上，多半置於接續所發展的新段落或句子之前，或是因兩者具高度相關性而必須特別強調其意義時使用。

當我們將人像與背景作結合時，其他的素描元素自然也合理地一併放入圖畫中，而其用意無非是

在強調素描意涵。以某種程度上來說，這如同我們正述說著關於畫中人物的故事。即便這並非圖畫的完整意義，但構圖卻是達成此種目的的主要手段。

或者，舉欣賞攝影作品為例好了。由於攝影師對構圖與照片內容已培養出專業與獨到的眼光，因此能以光線的調配為作品埋下伏筆，譬如氣氛陰暗沉重的房間所要傳達的訊息，必定與充滿陽光的房間不同；而佇立在一盞小燈旁的人物，勢必帶給觀者特殊感受；開放的工

作室與幽閉的空間所傳遞的視覺感受會有相當的差異。一幅有背景或光線的畫作，與其他完全沒有背景的作品，其代表的意義確實南轅北轍。所以在開始作畫前，要先決定，自己想說個怎樣的故事，將「故事走向」鋪設好，然後再選擇出適合這個故事的光線、氛圍。這樣一來，縱使不能改變工作室或房間內的既有光線，也該在素描時，以畫筆製造出適當的光線來。

上圖：這幅素描中，椅子的陰影不僅色調沉重，且因畫家所刻意製造的鋸齒、生硬線條，也讓這樣的深沉氣氛投射在畫中人物上。人像在背部形成的顯著對角線則將人們視線成功牽引至肩膀。至於另一張擺放在房間角落的小椅子，則為畫面製造了深遠的感覺。總歸一句，整幅畫是充滿能量的。

上圖：而這張炭筆素描畫雖和上幅畫的是同一人，也是用炭筆在紙張邊緣大略地塗布，但此幅著力較輕，似光線柔和地灑滿整個人像，空間構圖上顯得寬敞，畫家將模特兒置於在圖面中央，並未逼近觀眾，因而少了些壓迫感。另外，地面上影子是以圓弧狀來呈現，同樣方式也重複運用在人像與椅子主體上，基於此，畫面得以充滿寧靜的感覺。

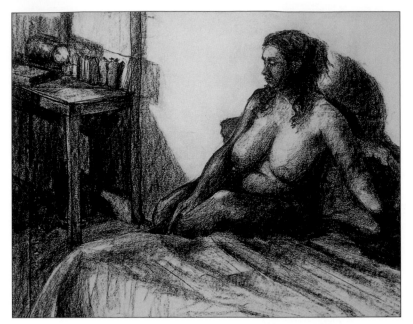

上圖：這並不是單純繪製一位裸體女性坐在床邊的炭筆素描而已。畫家採用炭筆在牆邊製造粗重的線條來形成陰影，使一部分的人體變得不清晰。人像旁的一張小化妝台與不整齊的床，則為圖畫增添陰暗氣氛，且暗示整個空間的殘破。此外，炭筆僅用於邊緣部份，而無進行混色動作的手法，更強調出混亂的氣氛和所暗示的訊息，天衣無縫地將人物與畫中物件相結合。

上圖：這幅鉛筆素描以精細且富有感情的線條製造出層層迴異的色調來顯示立體空間感。且在人像周圍所進行的細緻深色素描，不但讓人體本身需要的塑形簡化至最少，也使畫中人像因此顯得較為明亮。

雖然素描靠寫生構圖為基礎是相當理想的方式，但這種機會並不常有。如果課程中有寫生的機會，不妨就由自己來營造人像周遭的空間。例如，我前一本書的內頁需要繪製一幅有裸體人像的畫作。我從勾勒出房間的一角與沙發開始，然後再將所有的背景佈置好，包括窗戶、窗簾，沙發與人像，接下來，我利用塑形技法將畫面中所有的景物色調轉暗，僅保留少許由窗戶投射進室內的光線。不過因為此時我的貓跑進畫室並坐在沙發前，所以靈機一動便又把牠加入構圖中。這幅素描也讓我自己感到有趣，彷彿只將當時所有腦中構思的元素隨性地組合而已。

雖然圖中物件的相對位置即是構圖的一部分，但構圖卻不一定能保證將人像與圖畫內容搭配得宜。因為有些構圖只是利用色調與圖案的模式轉換，簡單地分割空間，至於如何分割空間，並無固定的標準。不過大部分的素描則介於兩者之間，基本構圖仍是最重要的，且其中包含一些相關元素。首要原則在於：內容是選項，但好的構圖卻不可或缺。

構圖是對不同形狀、顏色、色調、線條與質地的物體進行排列組合。而所使用的畫紙本身就是一個特定形狀，也是構圖的重要一環。也就是說，素描如同裁剪一張紙，將紙張的基本形態分割成具有動態與趣味的空間。

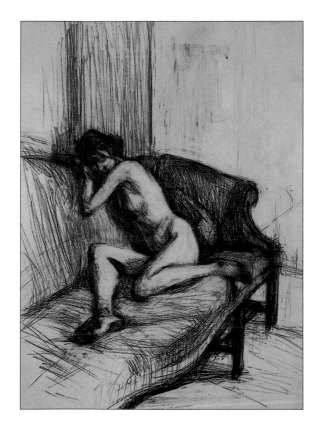

上圖：這幅畫風柔和的鉛筆素描，構圖凸顯出角度與弧線的對比。沙發上優美的弧線順利引導觀眾們的視線進入畫面中，不過模特兒狀似三角形的姿勢則讓畫面出現拉扯張力與搶眼的對角線。

上右：在這幅以粉彩與淡灰色紙張所作的素描中，畫家以描繪輪廓的手法，僅繪出模特兒周圍景物，凸顯她的輪廓。基本上，模特兒的肌肉顏色只以紙張的顏色為底，再加上幾筆強調光線的線條與細部修飾而成。

右圖：這幅鉛筆速寫中，畫家僅以數條影線

便完成了人像體態與構圖，彷彿以速記法進行構圖。

右圖：這幅迷人的素描可謂顛覆了傳統的繪圖原則。一般畫中的織物僅作概略性的描繪，但這幅圖卻不吝以塑形手法仔細地繪製出細部，連象徵破舊的水漬痕跡也不放過。最令人大感意外的是，不同於對房間的描繪講究，畫家反而以簡化的手法來素描人像。

上圖：這幅炭筆素描的構圖之所以被認為十分強烈，原因就在於模特兒背後的格子窗與她所坐的高台。如果模特兒坐得筆直，構圖就會變得死寂，但她前傾的姿勢，卻刻意製造一個穿過左側暗沉傢俱的三角線。這個對比使得畫面變得更強而有力。

　　構圖是否成功，端看畫中各個元素是否平衡而定，但又不能讓這些形體或元素呈現靜止狀態，使得畫面了無趣味。在此有兩種對稱的構圖設計可供各位選擇。第一種是靜態對稱(Static Symmetry)，即是使用在當構圖中的形體按比例或數量分成2、4與6的情況。而第二種動態對稱(Dynamic Symmetry)，則使用於形體無法相等或均分時，例如數量比例是3、5與8。

　　不過在一般情況之下，形體與其規格通常都十分隨機的，況且構圖中置入的形狀變化愈多，圖畫也會相對變得愈有趣。因此，只要謹記大小的關係即可。

　　另外，構圖也需要有中心主題，不過主題極少會放在圖畫正中央，反而常常被置於偏離紙張的中心，以製造動感與張力。當然，若是太過誇張也是有其風險性的，所以這便是構圖工作也稱作「平衡行動」的原因。

　　出色的構圖可使無趣的主題變得生動活潑，而相關物體的配置能得當，則必會引導觀眾不斷思考畫中人物，而非僅僅欣賞構圖中人像而已。在這一章節中某些素描是有背景故事的，某些則只是畫家單純將人像融入構圖中罷了，而箇中差異勢必值得我們一同玩味。

左圖：此幅畫作是同時使用軟硬兩種粉彩在染色紙上繪製而成的。圖中的基本形體均以粉彩的平滑面繪出色塊來構圖，房間背景則來自畫家的想像世界，而工作室的投射燈最真實，是採用當時的光源，至於加入窗戶，是為了平衡構圖。

下圖：完成圖。畫家將軟粉彩的顏色覆蓋於硬粉彩的影線上，而細部素描則是以粉彩尖銳的邊緣，試圖營造模特兒正在沉思的嚴肅氣氛。

兩個人像的構圖

　　除了直接畫出那些已擺好姿勢的模特兒外,雕塑家奧古斯丁‧羅丹(August Rodin,1840-1917)就曾要求模特兒在他巴黎的大工作室中隨意走動。然後他再由觀察她們自然走路的方式,和她們聊天時自然形成的相對位置與姿勢來構圖。其實這種輕鬆自在的氣氛也存在於兩個模特兒同時擺姿勢的情境,我發現相較於在單一模特兒在自我意識下所形成的不自然靜止狀態,兩個模特兒卻能營造出較愉悅的氣氛。即便兩個模特兒有著不同的個性或情緒,但對於畫家來說,反而能因兩個不同個體的相互對比,較容易感受出個體的獨特性。最重要的是,兩個模特兒可使構圖發揮的空間更為寬廣。

左上與右上圖:雖然在這兩張炭筆素描中,兩位模特兒的姿勢都是相同的,但畫家營造的氣氛卻有明顯差異。也因此探討這兩張圖的繪製,就成為十分有趣的話題。第一張圖,畫家用手臂的鋸齒線條營造畫面張力,並以此作為兩個女人的互動方式。而且他還在模特兒的腿部與背景畫架上,重複運用這種鋸齒線條。而第二張圖的情緒較內斂且沉靜,如從模特兒向下垂放的手臂,或將兩人區分開來的陰影都可發覺。畫中較少使用尖銳的角度,手臂、背部與大腿,均以有弧度的線條表現,不過室內的光線亦被調暗,以增加陰暗的感覺。

右頁圖:畫家在模特兒背後畫出一位裸體男性,且一反常態地讓花朵與模特兒平行並排,為的是使整張畫作具備某種超現實的感覺。此外,畫家採用有色紙張完成這張粉彩速寫,也暗示此作品保有那股即時、新鮮的特質。

　　另外,與兩個模特兒共同工作的好處之一便是:能在畫面中製造出更饒富趣味的空間深度。方法無他,即是先將一位模特兒置於畫面最顯著的位置,另一位則位在離他較遠處。如此,不但增加了比較兩位模特兒之間姿勢與動態差異的機會,也使得畫作是素描兩位人物而非僅止於兩個人像。另一種方式則是將兩位模特兒視為構圖中的部分抽象元素,並利用角度與弧線作對比,以強調兩個軀體在構圖中的裝飾性。

　　但有一點要特別注意:一定要事先告訴模特兒她將與另一位模特兒同時工作,因為有些模特兒是很不願意與其他人一起工作的。

上圖：畫家在這張筆觸簡潔的鉛筆速寫爲我們呈現出，人像彼此間的相對位置乃有其趣味性存在。好比他將其中一位模特兒置於前方地板，既能賦予畫作空間深度，又能把兩位模特兒各自獨立出來。且因爲前方地上的模特兒向後望著另一位模特兒，讓我們的視線也深受她的引導而移動到另一位站著、望向圖畫之外的模特兒身上。只不過她們兩個到底在看什麼？這個問題則未有定案。

右圖：這幅軟鉛筆速寫中，模特兒們的位置排列純粹是爲了讓所形成的弧度與角度產生對比。而地面陰影用來界定室內空間，至於光線方向則是憑陰影的位置與塑形人像時所採用的光影來決定的。

上圖：這張將柳木炭筆與炭精筆合用的炭筆素描，不僅風格特殊，運用人像來製造一種抽象的構圖設計，例如讓模特兒們擺出鏡像般的姿勢，且還以揉過的橡皮製造明亮的光線效果。

15

不透明水彩、水彩與墨汁的使用

有句古老的諺語是這樣說的：「畫家出生時便帶著筆刷或畫筆。」雖然大部分的學生是各種畫都使用，但多數人仍會有其偏好，可能傾向於偏愛乾性的畫具，像是炭筆、粉彩、炭精筆等等，或是對筆刷特別在行。這樣的現象在剛開始可能不太明顯，但時間久了，便會漸漸顯現出來。

這一章特別獻給「天生擅長繪畫」的學生。

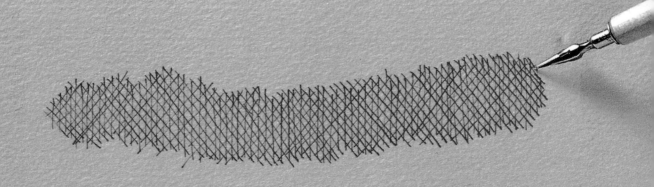

不透明水彩

　　不透明水彩是一種十分完美的顏料，不僅能單獨使用，也能在寫生時作爲使用油彩前練習用的銜接顏料。而油彩是種能幫助色調與塑形顯得更爲生動的顏料。所有類型油畫作品的呈現都建立在色彩與色調的使用上。簡單地說，就是加強明暗色調的對比。當然，彩繪中有數百種的中間色調，如果模特兒的身材比例很完美，她的擺姿勢又恰與背景色彩或背景暗色調形成對比，那麼我們只須畫出所見即可。工作室的牆可能是白的，所以得調整色調好突顯人像，只不過若僅是更動牆面顏色來維持色調，恐怕效果並不會比更動色調來得好。因此不妨將「色調第一，顏色第二」的觀念深植於心中，這樣一來，繪畫工作將會有極大斬獲。

　　不透明水彩是混合畫家的色料與白粉（gesso），並以膠作爲微弱的溶劑將其凝結而製成的。

上圖：不透明水彩即便在色彩鮮豔的紙張上都能阻擋顏色的穿透，使畫家可用它在橘色紙張上作畫也不妨礙，先以淡色系來繪製人像並加入肌肉血色。然後再用灰色來表現陰影以修飾人像，且背景亦採用同樣的灰色。而更深的灰色則塗抹於前景中，不但與織物一道展現出重量感，並有穩定畫面底部構圖的作用。另外，橘色調的布面則爲紙張本身的顏色，畫家也選用較深的橘色來表現陰影。至於深橘色的繪製手法是較隨意鬆散的，目的在於讓紙面的顏色透出，以統合畫面的整體感。

左圖：畫家採用不透明水彩在染色紙上作畫，且人像是以多層不同色調的土色系構成的，像是焦茶、赭土等顏色。另外，不難發現畫家較感興趣的是光影所形成的不同色塊形狀彼此間之關係，所以背景與人像的構圖便是用這種抽象的方式來表現。至於肩與頭部後面的背景則以深色調呈現，使構圖偏離中心點，以增加畫面動感。

另一方面，水彩是將畫家的色料經過細緻研磨後，再加入阿拉伯膠融合所製成。奉勸繪畫的初學者務必要把這兩種顏料了解透徹才行。因為在色料中加入白粉不僅會增加顏料的不透明度，也會增加繪畫的重量感。所以為了使圖畫的色料更顯豐富，把不透明水彩加入水彩畫中是最常見的方法。又因為不透明水彩是水性的，乾得快，使覆蓋另一層色彩的動作更容易了。記得若要加入新一層色料，一定要等到前一層水彩完全乾燥，以避免顏色混合，而且新一層色料含水量應該較少而濃稠才能完整覆蓋上去。不過若希望將底層的色彩穿透出來，以表現垂綴的質地，當然也可趁顏料還沒乾時加入另一種顏色，讓兩種顏色在紙上均勻混合，因其在加入大量的水後，仍能均勻地在紙上塗佈產生出透明感。反觀不透明水彩在加入大量的水後，卻會使畫面變成又骯髒又不均勻。必定要認清不透明水彩的能與不能，比如說，如果需要輕盈的淡彩，就得用水彩。

左圖：畫家稀釋不透明水彩，用來在墨汁素描上製造半透明的淡彩效果，期盼能速成畫面深度與輕盈的感覺。

水彩

水彩多半應用於製造具有透明感的淡彩，且色彩愈淡，就愈難蓋住紙張的白色。所以畫家若決定採用水彩來作畫，就應考慮紙張的品質是否良好，以避免水彩顏色「沉」入畫紙。一般來說，使用水彩時應由淺至深色，即先使用淺色調，再逐漸加深陰影或其他部分的色調，讓素描漸漸成形。此外，若想使色塊的顏色變淡，用沾濕的海綿輕拭即可。

以水彩作畫時，可用乾燥紙張，或沾濕的紙張也沒關係。如果是採紙質較硬的水彩紙作畫，則需要先將紙張「伸展」一下，避免上色時紙張會有凹凸不平的情況產生。至於「伸展」的方法：是將紙張浸入清水數分鐘使其達到飽和狀態，然後將多餘的水瀝掉，再把紙張鋪於平板上。作畫時則用牛皮紙膠帶將紙張的邊緣固定，紙面展平。畫作完成之後，則應先確認紙張已乾，才用雕刻刀將畫作由版子上切割下來。

下圖：這幅水彩圖清楚地顯示出水彩與不透明水彩的差異。畫家以層層透明的淡彩來建構圖畫層次，人像上的藍色陰影則以混色的方法上色，而色彩之所以有柔軟的感覺全因陰影是在皮膚顏色未乾時畫上去的。

毛筆與墨汁

素描時若利用貂毛或價格較便宜的中國毛筆，會發現所繪製出來的線條很不一樣。由於貂毛筆的彈性極佳，因此能畫出由細變粗、再由粗轉細的線條。而中國毛筆卻沒辦法將已變粗的線條再轉細，且需要常常重新沾墨，再接著之前的線條繼續畫。另外，因為線條常常無法一筆完成，卻意外展現出有角度的動態特性，還有線條無法避免產生的節點也十分有特色。不過，使用中國毛筆時應盡量讓筆身垂直紙面。

其實也不必太過保守，僅使用黑色墨汁。譬如烏賊墨與焦茶都是這類作品中十分合適的暖色調。

上圖與上右：這些利用毛筆與墨汁所繪製的素描是在模特兒走動的狀態下快速完成的，且並無進行任何的前製作業。

右圖：這兩張毛筆照片是用來示範如何執筆與運筆的。此外，不難發現不同力道是繪製線條粗細不等的主要原因。

上圖與左圖：這兩幅作品皆是用竹筆所作的素描。

16

檢視並修正作品

畫家常用許多方法分析自己的畫作,進而提升個人繪畫層次。

　　首先,也是最重要的,要具備診斷錯誤的能力。撕掉自己覺得十分糟糕的畫作的確沒什麼不對,不過除非知道出錯的地方在哪,否則錯誤並不會因畫作被撕掉而消失,仍會持續不斷地出現在日後的圖畫中。

　　只是該如何知道哪裡出錯呢?有時錯誤顯而易見,但有時並非如此。最常見的便是畫家認為畫作失敗,卻沒辦法找出真正的缺點所在,僅隱約感覺畫面似乎不太對勁。那不妨試試看以列清單的方式來確認自己是否犯了一些常見的缺失,本章中也提供各位一些協助分析作品的辦法。

檢視比例

　　畫家對比例的誤判是目前最容易檢查出來並可立即改進的錯誤。檢查時，以模特兒的頭部長度作為測量單位，正如前頁所述(23頁至24頁)，平均而言，一般人的高度為六個半頭身，或七個半頭身，但這個比例會因為畫家想製造特別的效果而被誇張化。比如說，米開朗基羅繪製的人像不乏有十到十二頭身的，但我們並不會因此說他比例拿捏錯誤。另外，身體的寬度也有檢查標準，如果人像是呈站姿，可以用雙肩與私處（正面）或臀部（背面）所形成的三角形，來表現一個人的體型特徵。

檢視平衡

　　而對於平衡的檢視法，即為由平衡點(如第35頁至36頁所述)往地平面畫一條直線，以人像正面來說，平衡點應位於兩片鎖骨中央。檢查鎖骨中央點的正下方是否與腳部重心重疊，即身體重量的落點。如果人像呈現站姿，但重心未落在雙腳之間或腳上，那人怎麼說也不算是站著的。此外，還可進一步檢視臀部與肩膀的角度是否與重心的落點相符，例如因腳的重心若偏某個方向，那與其同側的臀部應該向上推，但同一側的肩膀則應稍向下斜來平衡整個身體的受力，又如果雙腳平均受力，則臀部與肩部則應呈水平等等這些人體生理原則。

　　如果經過檢視後，比例與平衡都沒錯，但仍然覺得有些怪怪的，那就再試試以下的檢視方法。

檢視構圖

　　當我們長時間繪製一幅畫作時，眼睛難免會習慣於整張圖的樣子，而檢查不出細節的錯誤。為了用全新的眼光來檢視一幅圖，可將圖畫放在鏡前來檢查鏡像。如此一來，錯誤必定會馬上凸顯出來，倘若仍舊看不出錯誤，那表示素描本身並無不妥，可能問題出在構圖。

　　分析構圖時，請試著將圖畫上下反轉可以使判斷更為客觀。又或者將素描掛在牆上，利用遮蓋膠帶，或在房間的另一端觀察這幅繪畫，也能較容易察覺出構圖所出現的錯誤。

　　再者，構圖的重心是常常會有失偏頗。也就是指有些線條用筆過輕而顯得破碎，或過重而使構圖重心偏往某一邊。所以檢查時，得從遠處瞇起一隻眼睛來看，這樣會立刻看出圖中較明顯的部分，以此來確認圖畫的完整性。

糾正錯誤

　　少數人最初找到「炭筆或粉彩筆畫跡最佳的橡皮擦」就是在自家的廚房，也就是新鮮麵包。事實上，新鮮麵包被當作橡皮擦已有數世紀之久，微濕的麵包便可以將炭跡、粉彩與炭精筆的痕跡除去，且不會反將顏色推入紙張的纖維紋路中。像我就曾用這個方法將極深的顏色由紙面上擦去而不傷害紙面。至於尖銳的鉛筆線條可能需要品質較好的橡皮擦，不過各位不妨先試試看麵包是否有效。

　　因為紙張的關係，若是墨汁畫出的線條可以用厚重的白色或淡色不透明水彩來修正，新鮮麵包是無能為力的。

發展繪圖深度

　　我們大概都有這種經驗吧，有時覺得自己的畫技沒有進步，作品了無新意。更慘的是，連自己都厭惡自己的作品。我個人解決瓶頸的辦法是使用一種全新的畫材，假設已經習慣使用炭筆、炭精筆或其他乾性的畫具，就全部拋棄，改用筆刷或淡彩，反之亦然。選擇某種不喜歡也不習慣使用的畫材，會迫使我們換不同的角度、方式來思考新問題，除去舊思維帶來的沉重包袱。

　　如果自認作品太拘於小節，那就改用大筆刷。此外，有種賣場常會陳列的居家油漆用刷，至少有一英呎寬。也許可以用這種刷子與招牌畫顏料(Poster Color)在便宜的紙上作畫，不過這只是放鬆練習，並非嚴肅的繪畫工作。

　　或者，我也常將學生的畫作影印，然後調整畫作中顏色的密度，給學生看的目的是如果大膽改採較粗的線條，整幅圖會呈現怎麼樣的效果。

修正不滿意的畫作

黛安娜·康斯坦斯
(Diana Constance)

法蘭西斯·培根 (Francis Bacon)說：「如果想成為畫家，就要有不怕做傻瓜的決心。」
畫家幾乎對自己畫作中所顯示的不專業而感到沮喪的程度，遠比畫作損壞時還強烈。
然而，畫作的損壞也是這項職業中已知的風險。

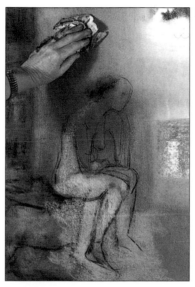

1 原本的畫作呆板不生動，色調也完全不搭。

2 畫家用一張面紙擦去畫跡。

3 畫家開始重繪。

4 加入亮色調。

5 新構圖簡化了畫面，火爐處反成為光源。

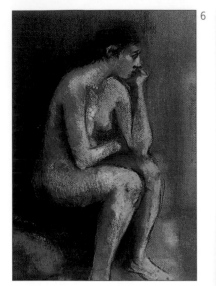
6

6 利用更多塑形技法重新塑造人像。

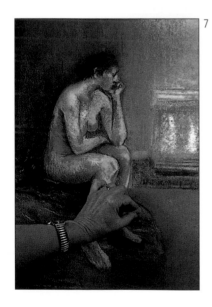
7

8

7 將織物加入亮色調，以強調火爐處發出的亮光。

8 最後完成的素描與原作相差十萬八千里。新構圖中利用負空間襯托出人像並強調光源，清楚地顯示出圖面重心，相較於原作則將畫面的重心由人像上岔開。

17

畫框選擇、
裱褙與作品展出

其實素描並不是彩繪的附屬品，它本身就是藝術作品。遺憾的是，許多優秀的素描作品卻因不當的保存方式而損壞。好比乾性顏料的素描，像是炭筆、炭精筆與粉彩的素描是最需要細心呵護的，哪怕是一點點的污跡，都會破壞其細緻美感而使畫作壽終正寢、價值全失。何況，保存的動作也只須耗費數分鐘將其固定並覆上保護層罷了。

對於畫作的保護其實早在選擇作畫的紙張時便開始了。剛開始作畫時，便宜的紙張當然因爲價格所致，總讓人盡情揮灑，嘗試一些試驗性的畫法而無任何後顧之憂。但當畫技日漸進步，想要將作品長久保存時，則須選擇不使用木削作原料的紙張，如新聞紙、糖果紙、壁背紙、牛皮紙等都不合適。因爲只要不是無酸紙，時間一久紙張便會泛黃或轉爲難看的褐色。

再者，許多平頭筆的墨水都十分容易散失，也因此極容易褪色。這和染色面紙不適合做藝術拼貼是相同的道理。炭筆、炭精筆與粉彩雖是持久性顏料，但仍需以高品質的固定劑固定。不過許多畫家卻都不愛在粉彩上噴灑固定劑，因爲微濕的固定劑反而會使亮色調稍微變暗。以我自身爲例，我偏好用一層稀薄的固定劑來同時保護畫面與裱褙板。因爲移動粉彩畫時，顏料粉塵難免會散落且弄髒裱褙板底部，這絕對是策展時搬運畫作最惱人的事情。至於固定劑的選擇，我多半用品質較佳的，便宜的髮膠則敬謝不敏。

保存畫作

炭筆、炭精筆與粉彩素描的表面應該要覆蓋著描圖紙或面紙。像我個人比較喜歡描圖紙，因爲它能保持平整又不沾染顏料。還有，儘量不要捲圖，最好將圖畫平整地置於抽屜或紙夾中。

裱褙畫作

通常基於兩種理由，圖畫才需要裱褙。第一，若是畫作需要裱框，應避免圖畫表面與玻璃接觸造成顏料的擠壓沾黏。第二，裱褙可以保護畫作。窗式裱褙不只能塑造畫作一股吸引力，且又能專業地呈現，更能以此將畫作保存在最佳狀態。

可以請專業人員裱褙畫作，不過如果選擇自己動手做，則僅需一把雕刻刀與一支鐵尺即可。但若要進行大量的裱褙，則可能還要一把專業的裱褙尺才行。這種裱褙尺上有一片橡膠能防止尺面滑動，來幫助我們簡化並加速裱褙程序。另外，雕刻刀的刀鋒也要常常換新，這樣切口才得以保持平整、流暢。先用遮蓋膠帶將裱褙板固定在以紙板作保護的桌子上，如果是要窗式裱褙，就裁出兩個一樣大小的紙板，第一個紙板用來作圖畫正面的框架，另一個則作爲背襯。然後在第一個紙板上切割一個比畫作稍小的洞，將這個紙板疊在沒挖洞的紙板上。接著將畫作塞進兩個板子之間，但小心不要弄髒畫作。還要記得調整一下位置使畫作位在開口的正中央，最後用一小塊遮蓋膠帶將畫作稍稍固定在兩個板子的頂端，使得板子可以開闔以便調整畫作的位置。

無論選擇哪一種裱褙方式，都得使用無酸紙板以避免紙板變黃，或在素描的周圍留下框痕。

切割裱褙框

黛安娜・康斯坦斯
(Diana Constance)

記得當年身為學生的我，老師指派的第一件任務便是學習如何裱褙呈現自己的作品。雖然當時心裡非常反對花額外的時間在這個「非正業」的工作上，但卻因此讓我很快便學會了專業原則。

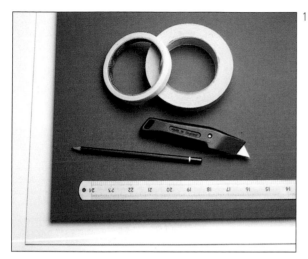

1 裱褙所需的基本工具：裱褙板、雕刻刀、鐵尺，遮蓋膠帶與雙面膠。

2 測量並繪製裱褙窗。

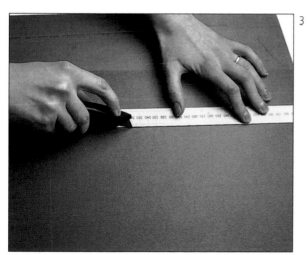

3 裁剪裱褙窗。圖中的鐵尺已足夠使用，但附有橡皮的尺更為安全。

4 拿出已切割好的窗塊。這個方板子可以保存，用來裱褙較小的素描。

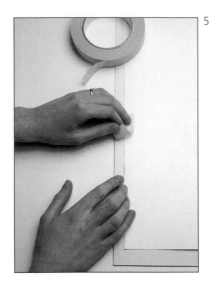

5

6

5 將素描貼在窗式裱褙的紙板上。如果素描是以粉彩或其他較易損壞或易污損的顏料所繪成的，素描應該正面朝下並以描圖紙墊底來保護圖畫。

6 用雙面膠將兩片紙板固定。

7 裱褙素描的工作大抵完成。可將描圖紙覆蓋在圖畫表面以便保存。

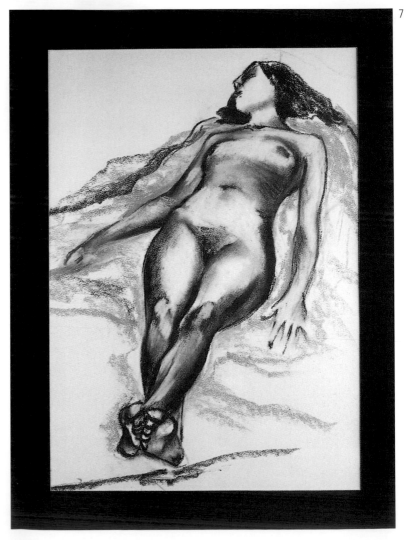

7

為畫作拍照

在畫作裱框之前，不妨先拍張照。若計畫將畫作送到學校或展覽場地，在裱框前務必將畫作拍成幻燈片或其他相片形式，否則等裱框之後，玻璃框面所造成的反光會使拍攝更加困難。假設拍攝能在白天進行，那當然就無多大妨礙，會既簡單又輕鬆。應採室內攝影，最好的方法是使用三腳架和兩個攝影立燈，並以鎢絲燈專用的色彩修正底片，或者用閃光燈也行，因此攝影前還得先行測試。比方說如果站得太近，圖面會反白；如果站得太遠，則圖面會顯得陰暗。

繪圖裱框

裱框方式有兩種「學派」。一種是永久性的裱框，用在想要永久保存的圖畫，另一種則是臨時性的裱框，它只是圖畫暫時的家，待圖畫售出或更換時，才改作永久性的裱框。

大部分的專業畫家與學生在參展時偏愛臨時的裱框，因為這些框架是木製的，便於以砂紙磨平來「整修」因參展運送過程中對框架產生的傷害。我自己就保存了數個不同大小的框架，適合我繪圖所選用的紙張。而且我也能在二十分鐘內更換畫框。先用甲基化酒精清潔玻璃，再以無頭釘固定背後的紙板，最後拿牛皮紙膠帶封住紙板與框架的接縫以避免粉塵。就這樣，新的裱框便完成了。

另外，夾式裱框對混合型的展覽恐怕是不合適的。因為常常會有玻璃破碎或鬆脫的危險，基於安全考量，負責運送者絕對會拒絕搬運此類裱框畫作。

最後，順道一提，《畫家前衛雜誌》常會刊登即將舉行的展覽，對於增長畫技想必極有助益。

圖片提供

感謝下列作者提供畫作。攝影部分則由本書作者完成。

布魯斯・雅歌(Bruce Argue)：29頁(下)；31頁(下)；48頁(上)；49頁(下)；50頁(下)；51頁；105頁；106頁(上)。

米娜・芭露琪(Mina Baruch)：93頁(上)。

茱蒂・巴克斯敦(Judy Buxton)：57頁(下)；112頁(下)。

芭芭拉・卡特(Barbara Carter)：85頁。

黛安娜・康斯坦斯(Diana Constance)：28頁；32頁(上)；38頁；39頁；43頁(上)；44頁(左下)；58頁；59頁；60頁；61頁；63頁；64頁；65頁(上)；84頁(上)；88頁；89頁；90頁；91頁；93頁(下)；96頁；98頁(左)；99頁(上)；101頁；103頁(下)；121頁；122頁；124頁；126頁。

阿瑪蘭達・瓊(Armaranda da Jong)：32頁(下)。

安德魯・顧德(Andrew Gadd)：57頁(上)；67頁；71頁(上)；94頁(下)；107頁(右上)；108頁；110頁；114頁；115頁(上)；116頁；117頁(上)。

茱麗葉・霍華：65頁(下)；77頁(左下)。

芭芭拉・傑克森(Barbara Jackson)：29頁(上)；31頁(上)；62頁(上)。

賈斯汀・瓊斯(Justin Jones)：35頁(左下)；37頁；41頁(下)；52頁；53頁；54頁；70頁(上)；72頁；73頁；74頁；75頁；77頁(上)；79頁；80頁；81頁；83頁；84頁(下)；95頁(右上)；98頁(右)；99頁(下)；100頁；102頁(上)；103頁(上)。

丹尼爾・麥卡貝(Daniel McCabe)：44頁(上)。

海倫・麥柴斯尼(Helen McChesney)：49頁(上)；115頁(下)。

文森・米南(Vincent Milne)：94頁(上)；95頁(左上)。

約翰・尼可(John Nicoll)：43頁(下)。

黛斯蒙德・史羅能(Desmond Sloane)：24頁(下左)；47頁；70頁(下)；86頁(下)。

薇薇安・托爾(Vivian Torr)：87頁；109頁。

保羅・維尼恩(Paul Vining)：24頁(右下)；25頁；34頁(左)；35頁(右下)；36頁；41頁(上)；42頁；45頁；77頁(右下)；106頁(下)；107頁(下)。

凡妮莎・溫妮(Vanessa Whinney)：68頁；69頁；111頁(下)。

查爾斯・威廉斯(Charles D. Willams)：118頁。

麗莎・萊特(Lisa Wright)：34頁(右)；35頁(上)；44頁(下右)；57頁(下)；62頁(下)；95頁(下)；107頁(左上)；112頁(左上與右上)。

傑克・雅特(Jack Yate)：78頁。

索引